S0-AXB-928

Milena Michiko Flašar

Ich nannte ihn Krawatte

Quart*buch*

Milena Michiko Flašar

Ich nannte ihn Krawatte

Roman

Verlag Klaus Wagenbach Berlin

Für Kris

[…] wie ausgeschieden du bist aus dieser Welt,
die schön ist und vielleicht einen Sinn hat,
wie ausgestoßen aus aller natürlichen Vollendung,
wie einsam in deiner Leere,
wie fremd und taub in dieser großen Stille […]

Max Frisch, *Antwort aus der Stille*

1

Ich nannte ihn Krawatte.

Der Name gefiel ihm. Er brachte ihn zum Lachen.

Rotgraue Streifen an seiner Brust. So will ich ihn in Erinnerung behalten.

2

Sieben Wochen sind vergangen, seit ich ihn das letzte Mal gesehen habe. In diesen sieben Wochen ist das Gras dürr und gelb geworden. Die Zikaden sitzen zirpend in den Bäumen. Unter meinen Füßen knirscht der Kies. Im prallen Licht der Mittagssonne sieht der Park seltsam verödet aus. Aufgeplatzte Blüten an Ästen, die sich müde zu Boden neigen. Ein blassblaues Taschentuch im Gestrüpp, kein Windhauch bewegt es. Die Luft ist schwer und drückt auf die Erde herab. Ich bin ein zusammengedrückter Mensch. Ich nehme Abschied von einem, der nicht mehr wiederkommt. Seit gestern weiß ich es. Er kommt nicht mehr wieder. Über mir spannt sich ein Himmel, der ihn – für immer? – in sich aufgesogen hat.

Noch kann ich nicht glauben, dass unser Abschied ein endgültiger ist. In meiner Vorstellung könnte er in jedem Augenblick auftauchen, vielleicht als ein anderer, vielleicht mit einem anderen Gesicht, mir einen Blick zuwerfen, der sagt: Ich bin da. Kopf gegen Norden, den Wolken nachlächeln. Er könnte. Deshalb sitze ich hier.

3

Es ist unsere Bank, auf der ich sitze. Bevor sie zu unserer wurde, war sie meine gewesen.

Ich kam hierher, um mir darüber klarzuwerden, dass der Riss in der Wand, jener hauchfeine Sprung quer über den Regalen, drinnen wie draußen seine Gültigkeit hat. Zwei ganze Jahre hatte ich damit verbracht ihn anzustarren. Zwei ganze Jahre in meinem Zimmer, im Haus der Eltern. Hinter geschlossenen Augen hatte ich seine gebrochene Linie nachgezeichnet. Sie war in meinem Kopf gewesen, hatte sich darin fortgesetzt, war mir ins Herz und die Adern eingegangen. Ich selbst ein blutleerer Strich. Meine Haut totenbleich, da keine Sonne sie beschien. Manchmal hatte ich Sehnsucht nach ihrer Berührung. Ich stellte mir vor, wie es wäre, nach draußen zu gehen und endlich zu verstehen: Es gibt Räume, die man niemals verlässt.

An einem kalten Februarmorgen gab ich meiner Sehnsucht nach. Durch den Spalt in den Vorhängen konnte ich einen Schwarm Krähen ausmachen. Sie flogen auf und nieder, auf ihren Flügeln die Sonne, sie blendete mich. Einen stechenden Schmerz in den Augen, tastete ich mich die Wände meines Zimmers entlang bis zur Tür, stieß sie auf, zog mir Mantel und Schuhe an, eine Nummer zu klein, ging hinaus auf die Straße und weiter an Häusern und Plätzen vorbei. Trotz der Kälte rann mir der Schweiß von der Stirn und ich empfand eine sonderbare Genugtuung darüber: Ich kann das noch. Ich kann einen Fuß vor den anderen setzen. Ich habe es nicht verlernt. Alle Mühen, es zu verlernen, sind umsonst gewesen.

Ich versuchte nicht, mich zu täuschen. Nach wie vor ging es mir darum, für mich zu sein. Ich wollte niemandem begegnen. Jemandem zu begegnen bedeutet, sich zu verwickeln. Es wird ein unsichtbarer Faden geknüpft. Von

Mensch zu Mensch. Lauter Fäden. Kreuz und quer. Jemandem zu begegnen bedeutet, Teil seines Gewebes zu werden, und dies galt es zu vermeiden.

4

Wenn ich an jenen ersten Freigang. Denn so muss sich ein Gefangener fühlen, der mit vergittertem Blick seine Zelle mit sich umherträgt, genau weiß, er ist nicht frei. Also wenn ich an jenen ersten Freigang zurückdenke, dann kommt es mir vor, als ob ich mich, eine Figur aus einem Schwarzweißfilm, inmitten einer bunten Szenerie bewegt hätte. Ringsherum schrien die Farben. Gelbe Taxis, rote Briefkästen, blaue Werbetafeln. Ihre Lautstärke betäubte mich.

Mit hochgeschlagenem Kragen bog ich um die Ecken und gab acht, dabei niemandem in die Füße zu stolpern. Mir graute bei der Vorstellung, mein Hosenbein könnte im Vorübergehen den Mantelzipfel eines anderen streifen. Ich presste die Arme an die Seiten und lief, lief, lief, ohne nach rechts, ohne nach links zu schauen. Die grausigste Vorstellung war die zweier Blicke, die sich in einem zufälligen Moment ineinander verhaken. Sekundenlang ineinander verweilen. Nicht loskommen voneinander. Solche Übelkeit. Ich war ihr Gefäß. Randvoll. Je weiter ich lief, desto mehr spürte ich das Gewicht meines Körpers. Ein dampfender Leib unter vielen zu sein. Einer stieß mich an. Ich konnte nicht länger an mich halten. Mit einer Hand vor dem Mund lief ich in den Park und übergab mich.

5

Ich kannte den Park und auch die Bank bei der Zeder kannte ich. Ferne Kindheit. Mutter würde mich zu sich winken, auf ihren Schoß hochnehmen und mir mit ausgestrecktem Zeigefinger die Welt erklären. Schau, ein Sperling! Sie machte Tschirp-tschirp. Ihr Atem auf meinen Wangen. Ein Kitzeln im Nacken. Mutters Haare wehten sachte hin und her. Wenn man klein ist, so klein, dass man glaubt, es wird ewig so bleiben, ist die Welt ein freundlicher Ort. Das war mein Gedanke, als ich sie wiedererkannte. Die Bank meiner Kindheit. Diese Bank, auf der ich lernen sollte, dass nichts so bleibt, wie es ist, und dass es sich trotzdem lohnt, auf der Welt zu sein. Ich lerne es immer noch.

Er würde sagen: Es war eine Entscheidung.

Und tatsächlich entschied ich mich dazu, über den Rasen zu gehen, auf die Bank zu und davor stehen zu bleiben. Ich war allein, umgeben von Stille. Niemand da, der mich dabei ertappt hätte, wie ich einmal, dann noch einmal um die Bank herum, in immer enger werdenden Kreisen um sie herumwanderte. Der Geschmack im Mund, als ich mich schließlich niedersetzte. Der Wunsch, wieder Kind zu sein. Wieder aus Augen zu schauen, die staunen. Ich meine, es sind meine Augen, die zuallererst krank geworden sind. Mein Herz ist ihnen lediglich nachgefolgt. Und so saß ich in viel zu dünnem Gewand. Noch dünner die Haut, unter der ich fröstelte.

6

Danach trieb es mich jeden Morgen hierher. Ich sah dem Schnee zu, wie er fiel, ich sah dem Schnee zu, wie er wieder schmolz. Glucksendes Rinnsal. Mit dem Frühling kamen die Menschen und ihre Stimmen. Ich saß mit zusammengebissenen Zähnen. Ein Würgen im Hals. Das war der Riss in der Wand. Er trennte mich von denen, die eingewoben waren. Ein verliebtes Pärchen schlenderte flüsternd an mir vorbei. Die heimlichen Worte, die zu mir herüberdrangen, tönten fremd wie die Worte einer Sprache, die ich nicht beherrschte. Ich bin glücklich, hörte ich, unsagbar glücklich. Ein klebriger Zungenschlag. Ich schluckte das Würgen hinunter.

Ob mich jemand bemerkte, ich bezweifle es, und wenn, dann wohl so, wie man ein Gespenst bemerkt. Man sieht es, klar und deutlich, mag nicht glauben, dass man es gesehen hat, und blinzelt es fort. Ich war ein solches Gespenst. Sogar die Eltern nahmen mich kaum mehr wahr. Wenn ich ihnen zu Hause im Eingang oder auf dem Flur begegnete, raunten sie ein ungläubiges Ah, du bist's. Sie hatten es längst aufgegeben, mich zu den Ihren zu zählen. Wir haben unseren Sohn verloren. Er ist gestorben, noch vor seiner Zeit. So müssen sie es empfunden haben. Als einen lebendigen Verlust. Allmählich jedoch hatten sie sich damit abgefunden. Die Trauer, die sie anfangs um mich gehabt haben mögen, war der Einsicht gewichen, dass es nicht in ihrer Macht lag, mich zurückzugewinnen, und wie sonderbar die Situation für sie auch sein mochte, selbst im Sonderbaren hatte sich bald eine gewisse Ordnung eingestellt. Man wohnt nebeneinander unter einem Dach, und solange nichts davon nach draußen dringt, hält man es für schlichtweg normal, so unter einem Dach zu wohnen.

7

Heute begreife ich, dass es unmöglich ist, jemandem nicht zu begegnen. Indem man da ist und atmet, begegnet man der ganzen Welt. Der unsichtbare Faden hat einen vom Augenblick der Geburt an mit dem anderen verbunden. Ihn zu kappen, dazu bedarf es mehr als nur eines Todes, und es nützt nichts, dagegen zu sein.

Als er auftauchte, hatte ich keine Ahnung.

Ich sage: Er tauchte auf. Denn so war es. An einem Morgen im Mai war er plötzlich aufgetaucht. Ich saß auf meiner Bank, den Kragen hochgeschlagen. Eine Taube flog auf. Mir wurde schwindlig von ihrem Flügelschlag. Als ich die Augen zu- und wieder aufmachte, war er da.

Ein Salaryman*. Mitte fünfzig. Er trug einen grauen Anzug, ein weißes Hemd, eine rotgrau gestreifte Krawatte. In seiner Rechten schlenkerte er eine Aktentasche, braunes Leder. Er ging, sie hin- und herschlenkernd, mit vornübergeneigten Schultern und abgewandtem Gesicht. Irgendwie müde. Ohne mich anzuschauen, setzte er sich auf die gegenüberliegende Bank. Schlug ein Bein über das andere. Verharrte so. Bewegungslos. Das Gesicht in seiner Abgewandtheit gespannt. Er wartete auf etwas. Etwas würde geschehen. Gleich, gleich. Erst nach und nach lösten sich seine Muskeln und er lehnte sich seufzend zurück. Solch ein Seufzen, in ihm war das Etwas, welches nicht geschehen war.

Ein flüchtiger Blick auf die Uhr, dann zündete er sich eine Zigarette an. Der Rauch stieg in Kringeln empor. Das war der Beginn unserer Bekanntschaft. Ein scharfer Geruch in meiner Nase. Der Wind blies den Rauch in meine Richtung. Noch ehe wir Namen ausgetauscht hatten, war es dieser Wind, der uns miteinander bekannt machte.

8

War es sein Seufzen gewesen? Oder die Art, wie er die Asche wegschnippte? Selbstvergessen, von sich selbst vergessen. Ich scheute nicht davor zurück, ihn so, wie er mir gegenübersaß, zu betrachten.

Ich betrachtete ihn wie ein vertrautes Objekt, eine Zahnbürste, einen Waschlappen, ein Stück Seife, und auf einmal sieht man es wie zum ersten Mal, seinem Zweck vollständig entfremdet. Kann sein, dass es diese seine Vertrautheit war, die ein besonderes Interesse in mir hervorrief. Seine gebügelte Gestalt war die tausender anderer, die tagein und tagaus die Straßen füllen. Sie strömen aus dem Bauch der Stadt und verschwinden in hohen Gebäuden, in deren Fenstern der Himmel in einzelne Teile zerbricht. Sie sind der Durchschnitt, typisch in ihrer Unauffälligkeit, rasierte Vorstadtgesichter, zum Verwechseln ähnlich. Er zum Beispiel hätte mein Vater sein können. Ein beliebiger Vater. Und doch war er hier. So wie ich.

Wieder seufzte er. Diesmal leiser. Wer so seufzt, dachte ich, ist nicht nur irgendwie müde. Fühlte es mehr, als dass ich es dachte. Ich fühlte, das ist einer, der des Lebens müde ist. Die Krawatte schnürte ihm die Kehle zu. Er lockerte sie, sah erneut auf die Uhr. Gleich war es Mittag. Er packte sein Bentō* aus. Reis mit Lachs und eingelegtem Gemüse.

9

Er aß langsam, kaute jeden Bissen zehn Mal. Er hatte Zeit. Den Eistee schlürfte er in kleinen Schlucken. Auch dabei sah ich ihm zu. Schon fast ohne Verwunderung über mich selbst. Denn damals ertrug ich es kaum, einem andern beim Essen und Trinken zuzusehen. Er jedoch tat es mit solcher Behutsamkeit, dass ich darüber meine Übelkeit vergaß. Oder wie soll ich es beschreiben: Er tat es in vollstem Bewusstsein dessen, was er tat, und dies machte aus einem alltäglichen Akt wie diesem einen bedeutsamen. Jedes einzelne Reiskorn nahm er in sich auf, brachte sich ihm gleichermaßen dar, mit einem dankbaren Lächeln.

Bei jedem anderen wäre ich auf und davon gelaufen, hätte das Mahlen des Kiefers für eine Bedrohung, das Malmen der Zähne für eine Gefahr gehalten. Ich fand es ungeheuerlich, wie eins ums andere in den Mund hinein und hinunter in die Gedärme rutschte. Ich selbst schlang, ohne nachzudenken. Der innere Zwang, mich zu erhalten, mich trotz allem zu erhalten, war mir ein Rätsel, dem auf den Grund zu gehen ich sorgsam unterließ. Besser nicht nachdenken darüber.

Sobald er fertiggegessen hatte, war er wieder ein gewöhnlicher Salaryman. Er schlug die Zeitung auf, las den Sportteil zuerst. Die Giants*, fett gedruckt, hatten einen triumphalen Sieg davongetragen. Zustimmend nickte er, während er mit dem Finger die Zeilen entlangfuhr. Ein Ring. Er war also verheiratet. Ein verheirateter Giants-Fan. Wieder zündete er sich eine Zigarette an. Danach noch eine und noch eine, der Qualm hüllte ihn ein.

10

Der Park war durch seine Anwesenheit kleiner geworden. Er bestand nun aus nur mehr zwei Bänken, seiner und meiner, den paar Schritten, die uns voneinander trennten. Wann würde er aufstehen und gehen? Die Sonne war von Süden nach Westen gewandert. Es kühlte ab. Er verschränkte die

Arme. Die Zeitung lag aufgeblättert auf seinen Knien. Eine Schar Schulkinder kam lärmend über den Rasen gestolpert. Zwei ältere Frauen unterhielten sich über ihre Krankheiten. So ist das Leben, sagte die eine, man wird geboren, um zu sterben. Er war eingeschlafen. Schwerer Kopf. Die Zeitung flatterte zu Boden. Jederzeit kann es zu Ende gehen, hörte ich, manchmal habe ich gar kein Gefühl mehr da drinnen.

Im Schlaf löste sich sein Gesicht auf. Silbrige Strähnen in der Stirn, unter den Lidern jagte ein Traum den anderen. Zuckende Oberschenkel. Ich empfand etwas, dünn wie der Faden Speichel, der aus seinem offenen Mund heraushing. Noch fehlte mir aber das Wort dafür. Erst jetzt fällt es mir ein. Mitgefühl. Oder der jähe Impuls ihn zuzudecken.

Als er endlich erwachte, sah er müder aus als zuvor.

II

Sechs Uhr.

Er zog die Krawatte enger. Der Park füllte sich mit den Geräuschen des herannahenden Abends. Eine Mutter rief: Komm, wir gehen nach Hause. Der zärtliche Klang, als sie nach Hause rief. Ein Ziehen im Nabel. Er strich sich die Haare aus der Stirn, gähnte, stand auf. In der Rechten die Aktentasche. Wartete eine unschlüssige Sekunde lang. Worauf? Ging los und verschwand, grauer Rücken, hinter einem der Bäume. Ich sah ihm nach, bis er gänzlich verschwunden war, und es muss wohl in diesem Moment gewesen sein, in dem kurzen Moment, da ich ihn aus den Augen verlor, dass ich so seufzte wie er.

Und wenn schon. Ich schüttelte mich. Ich schüttelte ihn ab. Was hatte ich mit einem zu tun, den ich ohnehin nie mehr wiedersehen würde? Die alte Übelkeit erfasste mich.

Unerträglich, wie ich mich schauend in das Schicksal eines Fremden gemengt hatte. Als ob es mich beträfe. Voll alten Ekels schüttelte ich ihn aus meinen Händen und Füßen. Wie schon gesagt: Ich hatte keine Ahnung. An jenem Abend, als ich mich zu Bett legte, das Laken schlug Wellen, an jenem Abend hatte ich nicht die geringste Ahnung, warum ich, kurz vor dem Ertrinken, sein Gesicht an der Wand zerbröseln sah. Ich trieb im Gewässer meiner Ahnungslosigkeit. Durch den Spalt in den Vorhängen schien der Mond darauf.

12

Ich hatte ihn nicht vergessen, als ich mich Tags darauf auf den Weg in den Park machte. In meinen Träumen war er mir abwechselnd als ein Reiskorn, eine Zigarette, ein Baseballschläger, eine Krawatte erschienen. Das letzte Bild war ein verschwommenes: ein Mann in einem Raum ohne Wände. Mit jedem Schritt wurde es blasser, ich löschte es aus.

Bei meiner Bank angelangt, war ich erleichtert, die seine leer vorzufinden. Dort, wo er gesessen hatte, war keine Spur von ihm zurückgeblieben. Ein Putztrupp war gerade dabei, die Mülleimer auszuräumen. Die Zigarettenstummel waren bereits zusammengefegt und in einen Plastikbeutel gekippt worden. Kein Ascheflöckchen erinnerte an ihn. Der Park war so groß, wie er eben war. An einem der Grashalme, die hier und dort aus dem Kies herauswuchsen, funkelte ein Tautropfen. Ich bückte mich nach ihm, er war warm von der Morgensonne. Als ich wieder hochkam, war er, wie am Tag davor, plötzlich aufgetaucht.

Ich erkannte ihn an seinem Gang. Ein wenig schief. Wie wenn er jemandem ausweichen wollte. So gehen die Menschen, die es gewohnt sind, sich durch eine wimmelnde Masse zu bewegen. Er trug denselben Anzug, dasselbe Hemd, dieselbe Krawatte. Die Aktentasche, schlenkernd. Eine Wiederholung. Er setzte sich, schlug die Beine übereinander, wartete, lehnte sich zurück. Seufzte. Dasselbe Seufzen. Blies den Rauch in Kringeln aus Nase und Mund. Ihn aus meinem Gedächtnis löschen zu wollen, war nunmehr vergeblich. Er war da, hatte in mir Platz genommen, war eine Person geworden, über die ich sagen konnte: Ich erkenne sie wieder.

13

Er hatte ein Stück Brot bei sich. Umständlich wickelte er es aus dem Papier, zerriss es in immer kleinere Hälften, formte Kügelchen daraus und streute sie vor die gurrenden Tauben. Für euch, hörte ich ihn murmeln. Und als er fertig war: Ksch-ksch. Weiße Federn wirbelten auf ihn herab. Eine war auf seinem Kopf gelandet. Sie verfing sich in seinem zurückgekämmten Haar und gab ihm etwas Verspieltes. Wäre er in T-Shirt und kurzen Hosen dagesessen, man hätte ihn für ein Kind halten können. Sogar die Langeweile, in die er kurz danach verfiel, war die eines Kindes. Er witschte unruhig hin und her. Bohrte die Fersen in den Boden. Blähte die Wangen auf. Ließ die Luft langsam entweichen.

Ich musste an die zähe Ewigkeit eines eben erst angebrochenen, endlos hingestreckten Tages denken. Die Gewissheit, dass er vergehen würde, war nichts gegen die fade Melancholie, mit der er verging, und Melancholie, dachte ich weiter, war das Wort, das uns beiden auf die Stirn geschrieben stand. Es verband uns. Wir trafen uns in ihm.

Im Park war er der einzige Salaryman. Im Park war ich der einzige Hikikomori*. Etwas stimmte nicht mit uns. Er sollte eigentlich in seinem Büro, in einem der Hochhäuser, ich sollte eigentlich in meinem Zimmer, zwischen vier Wänden hocken. Wir sollten nicht hier sein oder wenigstens nicht so tun, als ob wir hierher gehörten. Hoch über uns ein Kondensstreifen. Wir sollten nicht hochschauen, in diesen blauen, blauen Himmel. Ich blähte die Wangen auf. Ließ die Luft langsam entweichen.

14

Zu Mittag kamen andere wie er. Sie kamen in Grüppchen, setzten sich, die Krawatte über die Schulter nach hinten geworfen, auf die Bänke weiter abseits, und saßen, ein jeder mit seinem Bentō, fröhlich plaudernd beieinander. Endlich Pause, lachte einer, endlich Beine ausstrecken. Sein Lachen setzte sich fort in dem der anderen.

Warum war er nicht bei ihnen? Ich stellte Mutmaßungen an. Vielleicht war er einfach nur ein Durchreisender und er hatte den Anschluss verpasst. Musste warten, bis. Oder war einfach nur. Ich konnte es mir nicht erklären.

Sein Bentō, das waren dieses Mal Reisbällchen, Tempura*, ein Algensalat. Er brach die Stäbchen entzwei, hielt inne, wischte sich, eine heimliche Bewegung, mit dem Handrücken über die Augen. Sein angespannter Kiefer, ich sah es, er zitterte. Beschämt sah ich, er weinte. Es war ein zugeschnürtes Weinen, und ich allein war sein Zeuge. Die Beschämung darüber hielt an: Wer weint zu helllichter Stunde? Wer stellt sich dermaßen bloß? Und nicht nur sich selbst, sondern auch mich, seinen Beobachter! Er sollte nicht weinen, nicht vor mir. Er sollte die Tür hinter sich zumachen. Er sollte das wissen. Dass Weinen Privatsache ist. Mich schauderte wie bei der Erinnerung an einen zerquetschten Leib auf dem Asphalt. Schaurig. Daneben zu stehen, dumm vor Betroffenheit. Die weiße Hand, merkwürdig verdreht, zeigte auf mich. Von allen Umstehenden auf mich. Ich wollte blind sein. Das Licht der Rettungswagen schrie mich an. Nie wieder, hatte ich mir geschworen, wollte ich teilhaben am Leid eines anderen. Er sollte das wissen. Dass Weinen und Sterben Privatsache sind.

15

Ein Räuspern. Er hatte sich gefasst. Eben noch mit zitterndem Kinn, nun wieder gerade und ohne zu blinzeln. Eine Zigarette zwischen den Lippen ging er hinter das Gebüsch. Ein Reißverschluss zurrte auf und wieder zu. Das Knacken von Ästen. Ich hatte zu viel gesehen. Noch bevor er zurückkam, war ich auf den Beinen und davongelaufen. Aus dem Park hinaus, über die Kreuzung, an Fujimotos Gemischtwarenhandlung vorbei. Nach Hause. In mein Zimmer. Das Einrasten des Schlosses. Ich war in Sicherheit. Staubiges Flirren, ich zog die Vorhänge zu.

Am nächsten Morgen schlief ich länger als sonst. Ich überhörte das Läuten des Weckers nebenan, blieb liegen, schlief wieder ein. Träumte von einem unsichtbaren Faden, der mir die Luft zum Atmen nahm. Japsend wachte ich schließlich auf. Nichts war geschehen. Mit diesem Satz, nichts war geschehen, und seinen Folgesätzen, nichts geschieht, nichts wird jemals geschehen, machte ich mich auf den Weg.

Als ich den Park betrat, saß er zusammengekrümmt über seiner Zeitung. Neben ihm die leere Bentō-Box. Er schnarchte. Die Giants und das Geheimnis ihres Erfolges, las ich, an ihm vorüberschleichend, auf seinen Knien. Die Krawatte hatte er aufgeknüpft. Sie baumelte lose um seinen Hals. Gekräuseltes Nackenhaar. Ich gab es auf. Und auch das war eine Entscheidung. Es aufzugeben und ihm, der da schnarchte, einen Namen zu geben. So weit war es gekommen, dass ich ihm einen Namen gab. Nicht Honda. Nicht Yamada. Nicht Kawaguchi. Ich nannte ihn einfach Krawatte. Der Name passte zu ihm. Rotgrau.

16

Krawatte also.

Es ist die Krawatte, die Sie trägt, nicht umgekehrt. Später war das ein Scherz zwischen uns. Die Krawatte trägt Sie. Woraufhin er lächelte, dann lachte, in lautes Gebrüll losbrach. Du hast Recht. Es ist ein Irrtum, zu glauben, ich sei derjenige, der sie trägt. Ich trage nichts, gar nichts. Woraufhin er abrupt abbrach, dann schwieg, nur mehr schwieg. Hätte ich dieses Schweigen vorausgesehen, ich hätte ihm einen anderen Namen gegeben. Doch um seines Lachens willen, des Lachens, das seinem Schweigen voranging, hat es sich wohl gelohnt, ihn so zu nennen. Viel zu selten hat er gelacht.

Der Name verpflichtete mich ihm. Wie davor schon ein vages Mitgefühl, begann ich, eine vage Verantwortung zu empfinden. Bei ihm zu sein, ihn nicht alleine zu lassen. Grotesk das, Verantwortung für einen Menschen zu empfinden, von dem man nicht mehr nur sagen konnte: Ich erkenne ihn wieder. Sondern: Ich kenne ihn. Ich weiß, wie er atmet, wenn er schläft. Der Name verwickelte mich. Nicht länger fühlte ich die Freiheit, einfach aufzustehen und davonzugehen. Dass ein Name solch eine Macht besitzt.

17

Ein halber Monat verging. Er erschien jeden Montag, Punkt neun, jeden Dienstag, Mittwoch, Donnerstag und Freitag. Nur an den Wochenenden blieb er aus. Er fehlte mir dann. Ich hatte mich so weit an seine Anwesenheit gewöhnt, dass mir der Park in seiner Abwesenheit, meine eigene Anwesenheit darin irgendwie sinnlos vorkam. Ohne ihn, der mir Fragen aufgab, war ich ein Fragezeichen, das keinen Zweck erfüllt. Auf einem weißen Blatt Papier steht es da und fragt ins Leere hinein.

Einmal, im Juni, es war ein wolkenschwerer Freitag, war er gerade dabei einzunicken, als es zu nieseln anfing. Er schreckte hoch, stülpte sich die Zeitung über den Kopf, während ich, vorsorglicher Freigänger, meinen Schirm aufspannte, die Beine einzog, mich ganz unter das schützende Dach kauerte. Erst tröpfelte es, aus Tropfen wurden bald Schnüre. Er streckte die Hände in den Regen, ließ die Zeitung fallen, schloss die Augen. Ich beobachtete, wie sich das Wasser in seinen Händen sammelte. Er hatte sie zu einem Becher geformt. Plitsch-platsch, es sprenkelte ihn an. Ich war überrascht. Kein Salaryman setzt sich gerne dem Regen aus. Ringsherum war der Park undeutlich verwaschen. Fliehende Leute überall. Kein Mensch, der gesund ist, setzt sich gerne dem Regen aus. Ganz und gar hingegeben, schien er, schon nass bis auf die Knochen, kein größeres Glück zu kennen als derart nass zu werden. Ich starrte gebannt auf sein glückliches Gesicht. Er öffnete die Augen. Blickte mich, unvermutet, durch den Regen hindurch an. Ich sprang auf. Damit hatte ich nicht gerechnet. Nicht mit diesem unvermuteten Blick, der um mich wusste. Ich bin nicht allein, stand darin, du bist da. Dann schloss er erneut die Augen.

18

Ich war aus meiner Unbemerktheit gefallen, aus meinem Gehäuse. Aber das stimmt so nicht. Sein Blick und die Anerkennung, die mir daraus entgegengeleuchtet war, hatten lediglich den Raum um mich herum ein wenig gelichtet. Morgens nickte er mir zu. Ich nickte zurück. Abends hob er die Hand, wenn er ging. Ich hob die meine. Ein stummes Einverständnis. Du bist da. Ich bin da. Wir haben beide das Recht, einfach nur da zu sein.

Was sich zwischen uns verändert hatte, war bloß eines. Ich ahnte es. Dass ich jetzt, da er mich bemerkt hatte, ein Bild in ihm geworden war. Er hatte jetzt eine Vorstellung von mir, und seine tägliche Begrüßung galt dem Bild, das er sich von mir gemacht hatte. Er besah es sich. Ruhig. Sein Schauen war nicht aufdringlich. Ich wurde aufgenommen in seine Erinnerungen. Er erinnerte sich an einen Tag am Meer, feinkörniger Sand, struppiges Dünengras, er erinnerte sich an den Bart seines Vaters, harte Stoppel am Kinn, an ein bestimmtes Licht, wie es an einem Morgen im Spätherbst über den Rücken seiner Frau hinfiel, an ein Lächeln im Schaufenster, zufällig, das warme Fell einer Katze, die sich an ihn schmiegte. Er hatte tausend Erinnerungen, tausend Bilder, und ich war jetzt, da er mich bemerkt hatte, eines davon.

Ich ließ es zu. Ich bot ihm mein Profil, hielt still, damit er es in sich aufnehmen konnte. Schaute selbst auch zu ihm hin. Nahm ihn weiter in mich auf. So wurde aus unserer minimalsten Bekanntschaft eine minimale Freundschaft.

19

Miteinander zu sprechen wäre zu diesem Zeitpunkt noch eine Übertretung gewesen. Da war eine Grenze, der Kiesweg. Hier meine, dort seine Bank. Dazwischen Grashalme, ein rollender Ball, ein Kind, das hinterherpurzelte.

Zwei Jahre lang hatte ich mich darin geübt, das Sprechen zu verlernen. Zugegeben, es war mir nicht gelungen. Die Sprache, die ich gelernt hatte, durchdrang mich, und sogar, wenn ich schwieg, war mein Schweigen beredt. Ich sprach innere Monologe, sprach unentwegt in die Sprachlosigkeit hinein. Der Klang meiner Stimme jedoch hatte sich in mir verfremdet. Nachts wachte ich zuweilen schweißgebadet aus einem Albtraum auf, nur um ihn fortgesetzt zu finden in dem rohen Aaah, das aus meinem Bauch, meinen Lungen, meiner Kehle drang. Wer ist das, der da schreit, fragte ich mich und schlief wieder ein. Wanderte durch eine Landschaft, in der jeder Laut im Moment seines Entstehens verhallte. Der letzte Satz, den ich ausgesprochen hatte, war gewesen: Ich kann nicht mehr. Punkt. Ein vibrierender Punkt. Danach war etwas zugeschnappt. Die Anstrengung, die es kosten würde, dort weiterzusprechen, wo ich aufgehört hatte, stand gegen die Sinnlosigkeit, in Worte zu fassen, was sich nicht ausdrücken ließ.

Mein Zimmer glich nach wie vor einer Höhle. Hier war ich groß geworden. Hier hatte ich im eigentlichsten Sinne meine Unschuld verloren. Ich meine, groß zu werden bedeutet einen Verlust. Man glaubt zu gewinnen. In Wahrheit verliert man sich. Ich trauerte um das Kind, das ich einmal gewesen war und das ich in raren Momenten in meinem Herzen wild um sich schlagen hörte. Mit dreizehn war es zu spät gewesen. Mit vierzehn. Mit fünfzehn. Die Pubertät ein Kampf, an dessen Ende ich mich verloren hatte. Ich hasste mein Antlitz im Spiegel, das Sprießende, Treibende darin.

Die Narben an meiner Hand stammen alle von dem Versuch, es wiedergutzumachen. Unzählige Spiegel, zerschlagen. Ich wollte kein Mann sein, der glaubt, er gewinnt. In keinen Anzug hineinwachsen. Kein Vater sein, der seinem Sohn sagt: Man muss funktionieren. Vaters Stimme. Mechanisch. Er funktionierte. Wenn ich ihn ansah, sah ich eine Zukunft, in der ich langsam, zu langsam ums Leben kommen würde. Nichts funktioniert, hatte ich zurückgegeben. Und dann: Ich kann nicht mehr. Dieser letzte Satz war mein Leitspruch. Das Motto, das mich überschrieb.

20

Derart überschrieben saß ich auf meiner Bank, als er wieder einmal, Punkt neun, plötzlich aufgetaucht war. Es war ein Donnerstag, ich erinnere mich: Er kam, gebeugt wie unter einer schweren Last. Ich bildete mir ein, er sei über Nacht gealtert. Die Falten an seinem Hals, als er mir zunickte. Da bist du ja. Ich nickte zurück. Und mehr noch als das: Ich nickte eine Einladung. Mir selber unbegreiflich, nickte ich ihm, der gealtert war, zu und nickte selbst dann noch, als er mir entgegenkam, zögernd, über die Grenze hinweg, und mir eine Zigarette anbot.

Ōhara Tetsu. Er verbeugte sich leicht. Hajimemashite.* Du rauchst nicht? Ist gut. Fang besser gar nicht damit an. Es ist eine Abhängigkeit. Siehst du, ich brauche das. Er setzte sich neben mich, zwischen uns seine Aktentasche. Das Klicken des Feuerzeugs, er paffte. Eins dieser Dinge, sagte er, die ich nicht lassen kann. Wieder nickte ich. Ich habe alles probiert. Umsonst. Ich komme nicht los davon. Mir fehlt der Wille. Sicher kennst du das. Belegte Stimme, er hüstelte. In der Firma, sagte er weiter, rauchen alle. Es ist der

Stress, der nie aufhört. In der Firma. Er bückte sich, drückte die Zigarette aus. Den Rest des Morgens verbrachten wir schweigend auf unserer Bank. Mit einem Nicken war sie zu unserer geworden.

Hin und wieder kam jemand vorbei. Eine Mutter, die einen Kinderwagen schob. Ein hinkender Mann. Ein Grüppchen Schulschwänzer in zerknitterten Uniformen. Die Erde drehte sich. Auffliegende Vögel. Ein Schmetterling, der sich für Sekunden auf der Bank gegenüber niederließ. Nebeneinander sitzend, schauten wir ihm nach, wie er davonschwebte. Leise Ahnung, dass es von nun an kein Zurück mehr gäbe.

21

Von Kyōko, sagte er, als er zu Mittag sein Bentō auspackte. Karaage* mit Kartoffelsalat. Von meiner Frau. Sie ist eine wunderbare Köchin. Magst du? Nein? Er lächelte verlegen. Du musst wissen, sie steht jeden Morgen um sechs Uhr auf, um mir mein Bentō zuzubereiten. Dreiunddreißig Jahre lang. Jeden Morgen um sechs. Und das Beste daran: Es schmeckt! Er rieb sich den Bauch. Fast zu gut, stockend, für einen wie mich. Aber, nicht wahr, ich habe Glück! Mit diesen Worten wandte er sich seinem Essen zu.

Vor meinem inneren Auge sah ich Kyōko, seine Frau, im Nachthemd in der Küche stehen. Zischendes Öl. Ein Klecks Marinade an ihrem Ärmel. Sie hackt und rührt. Schält. Schneidet. Salzt. Das ganze Haus ist erfüllt von den Geräuschen des Hackens und Rührens. Des Schälens. Schneidens. Salzens. Er wacht auf. Noch halb im Schlaf, denkt er: Ich habe Glück. Er denkt es mit einer in ihrer Unermesslichkeit kaum erträglichen Traurigkeit: Ich habe verdammt großes Glück. Er steht auf. Geht ins Badezimmer. Beugt sich über das Waschbecken und dreht kaltes, sehr kaltes Wasser auf. Hält das Gesicht hinein, die Haare, den Nacken. Dreht weiter. Taucht auf. Und wieder unter. Bleibt untergetaucht. Dreht zu. Bleibt unten. Hört das Glucksen im Abfluss. Dreht auf. Zu. Auf. Zu. Sieht, wie das Wasser sich in Tropfen, die Tropfen sich in Tröpfchen teilen. Ein Klecks Zahnpasta am Beckenrand. Weiß auf Weiß. Er greift mit dem Finger hinein und –

– Kyōko weiß es nicht. Ein leichtes Aufstoßen. Er sprach wie zu sich selbst: Kyōko weiß nicht, dass ich hierher komme. Ich habe es ihr nicht gesagt. Gedehnte Silben: Ich ha-be ihr nicht ge-sagt, dass ich mei-ne Ar-beit ver-lo-ren ha-be.

22

Die Pause danach. Ich war zum Mitwisser geworden. Eben erst ausgesprochen, hatte uns sein Geheimnis zu Verbündeten gemacht. Es war das Gewicht in meinen Füßen, die Unmöglichkeit, endgültig, auf und davonzugehen. Er hatte sich mir anvertraut, allein mir. Ich schaute auf die Schuhe, die mich drückten. Ausgebeult und abgegangen. Einen halben Meter vor sich stellte er die Fersen auf. Schwarzes Leder, glattpoliert. Vaters Schuhe, schoss es mir durch den Kopf. Ob wohl auch er manchmal Sehnsucht danach hat, sich jemandem anzuvertrauen? Mit einiger Bitterkeit bemerkte ich: Ich wusste weniger über ihn als über den, dessen Namen ich vor knapp drei Stunden erst erfahren hatte. Ein Grund mehr, neben ihm sitzen zu bleiben und ihm erneut, über seine Aktentasche hinweg, zuzunicken.

Schon komisch. Er nahm den Faden wieder auf. Es ist nicht so, dass ich es Kyōko nicht sagen wollte. Nein, ich wollte es. Aber dann. Ich brachte es nicht übers Herz. Irgendetwas hielt mich zurück. Vielleicht die Gewohnheit. Grauer Rauch aus seinem Mund. Die Gewohnheit, in der Früh aufzustehen und mir das Gesicht zu waschen. Sie bindet mir die Krawatte. Im Hinausgehen rufe ich: Einen schönen Tag. Sie ruft: Dir auch. Sie winkt mir nach. Bei der ersten Wegbiegung drehe ich mich noch einmal nach ihr um. Ihre Gestalt vor dem Haus. Wie eine wehende Fahne. Ich könnte zurücklaufen. Aber da kommt schon der Bus. Ich steige ein. Es geht zum Bahnhof. In den Schnellzug. Nach A. In die U-Bahn. Nach O. Auf eine Art, er lachte, geht es. Nicht ich. Er lachte noch immer. Es geht.

23

Und du? Was treibt dich her? Ich zuckte mit den Schultern. Keine Ahnung? Hm, du bist ja noch jung. Achtzehn? Ich fror ein. Neunzehn? Zwanzig? Unglaublich, so jung. Alles vor sich zu haben. Nichts hinter sich. Er seufzte. Unglaublich, selbst einmal so jung gewesen zu sein. Dabei. Was heißt das schon? Ich meine, es gibt für jeden nur ein Alter. Ich war und bin, werde immer achtundfünfzig sein. Du aber. Pass auf, welches Alter du dir aussuchst. Es klebt an einem. Es klebt einen zu. Das Alter, das du dir aussuchst, ist wie Klebstoff, der sich um dich herum verhärtet. Diese Weisheit stammt allerdings nicht von mir. Ich habe sie aus einem Buch. Einem Film. Ich weiß es nicht mehr. Man merkt sich Sachen. Unglaublich. Man merkt sich ein Leben lang Sachen.

Während er in der Zeitung las, dachte ich darüber nach, was er gesagt hatte. Doch je mehr ich darüber nachdachte, entglitt mir das Was und stattdessen war es das Wie, das mich gefangen nahm. Der verbrauchte Tonfall, mit dem er den Wörtern einen herben Geschmack beigegeben hatte. Ob jung oder unglaublich, beides hatte so, wie er es gesagt hatte, eine würzig schwere Note bekommen und beides war so, wie ich es gehört hatte, ein und dasselbe Wort gewesen. So spricht man, dachte ich, wenn man sehr lange geschwiegen hat. Alle Wörter sind einem dann gleich und man kann kaum verstehen, was das eine vom anderen trennt. Ob Klebstoff oder Leben, es machte keinen allzu großen Unterschied.

24

Sein Schlaf kam jäh. Auf Seite zwei des Sportteils hatte er ihn erwischt. Die Lehne im Rücken war er mit gesenktem Kopf eingedöst. Seine Handflächen offen über dem Mannschaftsbild der Giants. Ein Netz aus Linien. Die des Herzens durchkreuzt. Schmierige Druckerschwärze am rechten Zeigefinger. Wieder glich er einem Kind. Harmlos. In seiner Harmlosigkeit unbeschützt. Und wieder spürte ich den Wunsch, ihn zuzudecken, diesen natürlichen Wunsch, ihn, wie auch immer, vor einem Unheil zu bewahren.

Als er erwachte, war es schon halb sechs vorbei. Gähnend streckte er sich und wischte sich den Sand aus den Augen. Ein paar Minuten noch, sagte er zwinkernd, dann geht der Tag zu Ende. Keine Überstunden heute. Er faltete die Zeitung zusammen. Das Schönste am Arbeiten ist das Nachhausekommen. Mein erster Satz, wenn ich, durch die Tür herein, im Eingang stehe. Es riecht nach Knoblauch und Ingwer. Frisch gedünstetem Gemüse. Ich stehe im Eingang, sauge diesen Geruch in mich ein und sage: Das Schönste am Arbeiten ist das Nachhausekommen. Kyōko schimpft mich einen Dummkopf dafür. Aus ihrem Mund klingt es wie das zärtlichste Du. Ganz ohne Beleidigung. Verstehst du? Sie könnte mich weitaus Schlimmeres nennen. Einen Lügner, einen Betrüger. Und trotzdem wäre darin, ich hoffe es inständig, dieselbe Zärtlichkeit, mit der sie mich einen Dummkopf schimpft. Obwohl. Ich will es lieber nicht wissen. Solange noch Hoffnung ist, will ich nicht wissen, wie es wäre, wenn ich ihr die Wahrheit sagte. Und wozu überhaupt? Sie hat Besseres, sehr viel Besseres als die Wahrheit verdient.

25

Fünf vor sechs. Er zupfte sich die Krawatte zurecht. Nicht zu hastig. Eher, als ob er sich zurückhalten müsste. Ein gezäumtes Pferd, das sich selbst am Riemen reißt. Immer wieder schüttelte er seinen Arm in die Höhe, schob den Hemdsärmel beiseite, schaute auf die Uhr. Ich gehe jetzt. Drei vor sechs. Nein, ein bisschen noch. Zwei vor sechs. Nun aber wirklich. Eins vor sechs. Also dann. Bis morgen? Ich nickte. Er sagte leise, fast nicht hörbar: Ich danke dir. Ein letzter Blick auf das Handgelenk. Punkt sechs. Mit einem Ruck hatte er sich erhoben. Ich tat es ihm nach. Wir standen Aug in Aug, gleich groß. Auf Wiedersehen. Meine Stimme. Nach zwei Jahren des Schweigens war sie von gläserner Durchsichtigkeit. Auf Wiedersehen. Das war es. Ein krispes Aufeinandertreffen von Konsonanten und Vokalen. Noch einmal verstummte ich. Danach brach es aus mir heraus: Mein Name ist Taguchi Hiro. Ich bin zwanzig Jahre alt. Zwanzig ist das Alter, das ich mir ausgesucht habe. Ich verbeugte mich, linkisch, blieb in der Verbeugung, bis er gegangen war. Sonderbare Genugtuung: Ich kann das noch.

Mich jemandem vorstellen. Ich habe es nicht verlernt. Auch wenn mir mein Name auf der Zunge zerkrümeln mag.

26

Während ich nach Hause ging, spann ich seine Geschichte weiter. Vielleicht hatte es gereicht, dass er sich mir anvertraut hatte, und er würde an diesem Abend noch heimkehren und sich aussprechen. Vielleicht aber auch nicht. Vielleicht würde er es so lange hinausschieben, bis die letzten Ersparnisse aufgebraucht wären. Und vielleicht war es gerade das, worauf er wartete: Dass Kyōko dahinterkäme. Dass sie eines Tages aufwachte, mit dem mulmigen Gefühl, dass etwas nicht stimmte. Sie würde Nachforschungen anstellen, ihm auf die Schliche kommen, ihn zur Rede stellen. Und vielleicht waren wir uns eben darin ähnlich. Wir sahen beide dabei zu, wie uns alles entglitt, und fühlten beide eine heimliche Erleichterung darüber, nicht in der Lage zu sein, die Dinge geradezubiegen. Vielleicht war das der Grund, warum wir aufeinandergetroffen waren. Um gleichzeitig und unabweisbar festzustellen: Dass es uns nicht möglich ist, nicht von hier, nicht von jetzt aus, das, was geschehen ist, rückgängig zu machen. Und vielleicht war deshalb seine Geschichte auch die meine. Sie handelte von dem, was er unterlassen hatte und was demnach nicht rückgängig zu machen war.

So viele Menschen, die nach Hause gingen. So viele Schuhe im Gleichschritt, ich kam aus dem Takt. Dort vorne, unter der Straßenlaterne, sah ich Vater, wie er an einem blühenden Strauch vorbei, den Blick stur zu Boden, von der Arbeit kam. Er sah mich nicht. Ich hatte mich rechtzeitig hinter einem Getränkeautomaten versteckt. Ich wollte uns, ihm und mir, die Peinlichkeit ersparen, uns auf offener Straße zu begegnen und nichts zu sagen zu wissen. Erst als er um die Ecke gebogen war, tat es mir leid, ihm nicht wenigstens einen Guten Abend gewünscht zu haben.

27

Ein herrlicher Tag, was? Wenn der Himmel so blau ist, würde man am liebsten ans Meer hinausfahren. Schade eigentlich. Er sah kopfschüttelnd an sich herunter. Da habe ich frei und bin es doch nicht. Aber morgen ist auch noch ein Tag. Er setzte sich. Seufzte. Taguchi Hiro also. Ich dachte ja schon, du seist stumm und irgendwie, ich gebe es zu, wäre mir das sogar recht gewesen. Natürlich nicht wirklich, wenn du verstehst. Er kratzte sich am Kinn. Vor dem Grün der Bäume hinter ihm warf eine Läuferin die Arme in die Luft. Sie trabte weiter, rotes Stirnband. Von der Straße kam leises Gehupe. Das Geräusch von Autos, an- und abschwellend. Es verfing sich in den Büschen ringsherum, blieb außerhalb des innersten Kreises, der uns umschloss.

Er fuhr unvermittelt fort. Irgendwie wäre es mir recht, wenn Kyōko wüsste, dass ich hierher komme. Sie tröstet mich, die Vorstellung, sie wüsste, instinktiv, aus ihrem Bauch heraus, wäre, weil sie es wüsste, meine Komplizin, machte mir zuliebe mit. Erbärmlich, nicht wahr? Die Vorstellung, sie würde aus freien Stücken mitmachen. Heute früh, als sie mir die Krawatte band, sagte sie, und sie sagte es ernst: Wenn man nur verrückt genug wäre, alles anders zu machen. Einmal auszubrechen, sagte sie und holte kurz Luft. Das wäre der Moment gewesen, ihr zu gestehen, dass ich längst draußen bin. Aber da hatte sie die Krawatte schon fertiggebunden und was blieb, war alleine die Scham. Ich schäme mich meiner Scham. Wie viel Kraft ich dafür aufwende, sie vor mir selbst und Kyōko zu verbergen. Denn es ist doch so: Ich habe nicht nur meine Arbeit verloren. Der Verlust, der am schwersten wiegt, ist der der Selbstachtung. Mit ihm fängt aller Niedergang erst an. Wenn man am Ende eines überfüllten Bahnsteigs steht, die Lichter des herannahenden Zuges sieht und sich dabei ertappt, den einen Augenblick zu berechnen, in dem ein Sprung auf die Gleise den sicheren Tod bedeuten würde. Man tritt einen Schritt nach vorn. Man spürt jetzt! jetzt! jetzt! und dann: Nichts! So ein dunkles Nichts! Nicht einmal dafür taugt man noch. Der Zug fährt ein. Er ist voller Menschen. Man spiegelt sich in den Fenstern, die an einem vorübergleiten, und erkennt sein eigenes Gesicht nicht mehr.

28

So! Er straffte sich. Nun aber Schluss. Ich rede und rede. Du musst denken, ich könne keinen Punkt setzen. Genug von mir. Jetzt bist du dran. Erzähl mir was.

Was?

Ganz egal. Das erste, was dir einfällt. Ich höre zu.

Und damit lehnte er sich zurück und schien tatsächlich nichts anderes vorzuhaben, als zuzuhören.

Wo anfangen? Ich suchte nach einem Wort, das seinem letzten gerecht werden würde. Es ist schwierig, sagte ich. Das erste, was mir einfällt, ist, dass es schwierig ist, etwas zu erzählen. Jeder Mensch ist eine Ansammlung von Geschichten. Ich aber. Ich zögerte. Ich habe Angst davor, Geschichten anzusammeln. Ich wäre gerne nur eine, in der nichts passiert. Angenommen, Sie werfen sich morgen früh vor den Zug. Was gälte dann das, was ich Ihnen heute erzähle? Und ist es überhaupt von Gültigkeit? Wie gesagt. Es ist schwierig. Das erste, was mir einfällt, ist: Wir treiben auf schmelzendem Eis.

Ein hübscher Satz. Er wiederholte ihn. Wir treiben auf schmelzendem Eis. Von dir?

Nein, nicht von mir. Von Kumamoto. Ich schluckte. Von Kumamoto Akira.

Das Sprechen überschwemmte mich. Ich war ein ausgetrocknetes Flussbett, in das nach Jahren der Dürre ein starker Regen fällt. Der Boden saugt sich schnell voll und danach gibt es kein Halten mehr. Das Wasser steigt und steigt, über die Ufer hinweg, reißt Bäume und Sträucher nieder, leckt über das Land. Eine Befreiung, mit jedem Wort, das ich sprach.

29

Kumamoto schrieb Gedichte. Seine Schulhefte waren voll davon. Stets auf der Suche nach dem perfekten Gedicht, seine fixe Idee, saß er, einen Bleistift hinter das Ohr geklemmt, vollkommen abgezogen von der Welt, ein Poet durch und durch, selbst ein Gedicht.

Wir waren beide in derselben Abschlussklasse. Beide unter demselben Druck, sie zu bestehen. Er nahm es leichter als ich. Oder besser, er tat so. Wofür lernen, witzelte er, wenn mein Weg ein vorgezeichneter ist. Unübersehbar. Die Fußstapfen derer, die ihn vor mir gegangen sind. Mein Urgroßvater, mein Großvater, mein Vater. Alles Juristen, die ihn für mich geebnet haben. Ich muss nichts lernen. Sie haben es bereits für mich getan. Ich muss es bloß wiederkäuen und hernach ausspucken. Das ist, was ich ihnen schuldig bin. Schau her! Er zeigte mir eins seiner Hefte. Zerrissen. Vater meint, die Gesellschaft brauche keine Sonderlinge. Nun, er hat Recht. Ich kann nur einfach nichts dafür. Ich habe Stunden darauf verwendet, es wieder zusammenzukleben.

Unter einem der Klebestreifen las ich: Die Hölle ist kalt.

Die perfekteste Zeile, sagte er, die er bislang zustande gebracht habe.

Das Feuer der Hölle ist kein wärmendes Feuer.

Ich erfriere daran.

Kein Ort ist so kalt wie diese brennende Wüste.

Dicke Bleistiftstriche. Ins dünne Papier gepresst. An einigen Stellen fehlte ein Schnipsel. Es macht nichts. Kumamoto klopfte sich dreimal gegen die Brust. Es ist alles da drinnen. Mein Jisei no ku*.

30

Zuerst verstand ich ihn nicht. Ich verstand ihn genausowenig wie die Gedichte, die er schrieb. Ich las sie und verstand die Wörter, die sie formten. Ich verstand Hölle und Feuer und Eis. Aber den Abgrund, den sie bezeichneten, den zu verstehen hätte es einer Art zu lesen bedurft, die sich tief nach unten begab, und ich scheute davor zurück, wohl weil ich ahnte, dass ich ebendort war und es dennoch nicht wahrhaben wollte. Dabei. Wenn ich ihn damals verstanden hätte, es wäre vielleicht manches anders gekommen, doch wer weiß das schon? Wer weiß, wofür etwas gut, und ob es zählt, dass es gut ist? Soweit ich mich erinnere, ist gut keine Vokabel, die Kumamoto jemals gebrauchte.

Wir wurden trotzdem Freunde. Gute Freunde. Ich bewunderte seine Unbeirrbarkeit. Von ihm ging das Licht eines Menschen aus, der genau wusste, wohin er ging und dass es dort, wohin er ging, schrecklich einsam sein würde.

Er hielt nichts von Meinungen. Er lachte mit denen, die über ihn lachten. Wie über seinen Vater sagte er dann: Sie haben ja Recht. Ich kann nur einfach nichts dafür. Er sagte es mit einem Zwinkern. Es war ein dahingezwinkerter Spruch.

Was er an mir bewunderte?

Ich weiß es nicht. Vielleicht, dass ich ihm ganz und gar anhing. Ich vertraute ihm und seiner Heiterkeit. Ich vertraute darauf, dass da jemand war, der immer jung bleiben würde, und der, wenn ich tot wäre, immer noch, mit schneeweißen Haaren, von dem perfekten Gedicht träumen würde.

31

Wir trafen uns meistens am Abend. Er liebte die Dämmerung. Das Licht, sagte er, sei dann traurig und freudig zugleich. Es trauere um den Tag, der vergangen, es freue sich auf die Nacht, die angebrochen sei. Wir gingen ziellos in den Straßen spazieren. Kumamoto, mich hinterherziehend, um ihn herum der Geruch einer fremden Landschaft. Er roch nach Böden, die zentimeterdick zugefroren waren, nach seltsamen Pflanzen, die sich darunter verdeckt hielten. Wenn sie aufgingen, fragte ich mich, was würde dann an die Oberfläche kommen?

Die Antwort war eine Kreuzung.

Kumamoto machte halt. Über ihm flutete in Neonbuchstaben eine Werbung für Haarshampoo. Männer und Frauen liefen in großen Bögen an uns vorbei. Wir waren eine Insel inmitten wogender Wellen. Eine Umklammerung, plötzlich, Kumamoto hielt mich fest. Mit beiden Händen hatte er meine Arme umfasst. Ich hab's, rief er, es gibt kein perfektes Gedicht! Seine Vollkommenheit muss gerade darin bestehen, dass es unvollkommen ist. Begreifst du es? Ich wollte es nicht begreifen. Er, in mein Ohr hinein: Ich habe ein Bild im Kopf. Ich sehe es deutlich vor mir. Seine Farben sind in ihrer Schärfe blendend grell. Sobald ich es jedoch restlos erfasst habe, explodiert es, und was ich niederschreibe, sind einzelne Teile, die kein Ganzes ergeben. Begreifst du es jetzt? Es ist, als ob ich versuchte, eine Vase, die kaputtgegangen ist, Stück für Stück zusammenzuleimen. Doch die Splitter sind so zerbröselt, dass ich nicht weiß, welcher zu welchem gehört, und wie ich sie auch aneinanderfüge, es gibt immer einen Splitter, der übrigbleibt. Dieser Splitter aber! Er macht das Gedicht. Durch ihn allein bekommt es Sinn. In seiner Stimme war ein Fieber: Mein Sterbegedicht soll eine Vase sein, durch deren gekittete Sprünge das Wasser dringt.

Er ließ mich los. Ich schwankte. An meinen Armen spürte ich den Abdruck seiner Finger.

Du bist ja krank, flüsterte ich.

Er gab zurück: Du auch.

Es war eine Warnung. Ich hörte und überhörte sie.

32

Tage später steckte mir Kumamoto, es war in der Physikstunde, einen Zettel zu. Darauf stand: Heute um acht. Bei der Kreuzung. Ich will es wiedergutmachen. Den Zettel habe ich noch. Ich weiß genau, wo in meinem Zimmer, in welcher Schublade. Unter dem uralten Stein, in dem ein Insekt eingeschlossen ist. Bisweilen hole ich ihn hervor und lese, Wort um Wort, wie ein Gebet: Heute um acht. Bei der Kreuzung. Ich will es wiedergutmachen.

Seine Krankheit?

Ich glaube, sie war sein unbedingter Wille. Er wollte und wollte und wollte. Es wiedergutmachen. Er wusste, dass er nicht einlösen konnte, was er seinen Vätern schuldig war, und er wusste, dass seine Heiterkeit nicht ewig vorhalten würde. Man kann nicht ewig behaupten: Ich kann nichts dafür. Ab einem gewissen Alter, das er nicht erreichen wollte, muss man einsehen, dass man immer etwas dafür kann. Dies war seine Krankheit: Zu jung erkannte er, dass nichts vollkommen ist, und er war zu jung, um die richtigen Schlüsse daraus zu ziehen. Dass dies auch meine Krankheit war, davor wollte er mich vielleicht warnen.

Als ich an jenem Abend das Haus verließ, war die Luft feucht und stickig. Ein nasses Tuch, das sich um den Körper legte. Ich war gespannt, rannte, unter den Füßen der flüssige Asphalt. Schon aus der Ferne erspähte ich ihn. Sein Gesicht hatte er mir zugewandt. Sengender Blick, er sah mich an. Hob seine Hand, rief etwas. Sein Mund ging auf und wieder zu. Ich verstand ihn nicht. Vom Lärm der Straße übertönt, war sein Ruf längst verhallt, als er, ein Schwimmer, vor meinen rennenden Augen, ohne sich umzusehen in den Verkehr hineinstürzte. Die Hand hatte er hochgestreckt. Quietschende Bremsen. Die Hand noch für Sekunden in der schweren Luft. Dann sackte sie nieder. Jemand schrie: Ein Unfall! Ich erreichte keuchend die Stelle. Spitze Ellenbogen in meiner Seite. Ich wühlte mich durch die Kette von Passanten. Kumamoto, blutüberströmt. Seine Hand. Weiß und schmal. Das Heulen der Sirenen. Ich trat zurück. Blind. Erblindet. Wurde fortgestoßen, weit weg. Hey du! Alles in Ordnung? Ich war auf den Gehsteig gesunken. Neben mir ein aufgeplatzter Müllsack. Verrottetes Fleisch. Ich verlor mein Bewusstsein. Als ich es wiedererlangte, hatte man ihn bereits weggeschafft. Über mir Werbung für Gesichtsmasken. Alles in Ordnung? Ich stand auf und ging.

33

Ich ging nach Hause, auf zitternden Beinen. Jeder Mensch, dem ich begegnete, hatte seine Augen. Kumamoto überall. Dichte Leiber, darunter Knochen, Organe, nichts Bleibendes. Sein Tod, war er überhaupt tot?, hatte mich mit einem Röntgenblick ausgestattet. Ich erinnere mich an die Frau, die vor mir herging. Sie war schön. Zart gebaut. Ich schaute auf ihren Rücken und betrachtete, ein- und ausatmend, ihre im Gehen hin- und herschwingende Wirbelsäule. Diese Wirbelsäule, verstand ich mit einem Mal, ist in ihrer Bewegung dem Tod hingeneigt. Ich erinnere mich an den Mann, der ihr entgegenlief, sie beim Arm nahm, ihr die Hände küsste. Auch er: Asche und Staub. Meine Eltern. Ich erinnere mich. Mutter saß, ein Skelett, vor dem Fernseher. Vater trank, ein Skelett, schaumiges Bier. Ah, da bist du ja endlich. Nackte Schädel, die mich beäugten aus starrenden Löchern. Was soll aus dir werden, hörte ich. Treibst dich spätabends herum. Hast du vergessen? Deine Zukunft! Vater biss in ein Stück rohe Wurst. Reißende Zähne. Ich taumelte über den Flur. Mein Schatten, mir nach, in mein Zimmer. Die Tür fiel leise ins Schloss.

34

Hier, nimm einen Schluck. Du musst etwas trinken.

Die Krawatte, rotgraue Streifen, holte mich zurück in den Park.

Immer langsam, sagte er, so ist es gut.

Ich war froh, dass er nicht mehr sagte als das.

Denn was soll man sagen, fuhr ich fort. Was soll man sagen, wenn einem die Wörter ausgegangen sind? Nachdem die Tür hinter mir zugefallen war, fühlte ich eine sprachlose Leere. Ich legte mich hin, sprachlos, rannte in Gedanken noch einmal auf die Kreuzung zu. Kumamotos Mund. Was hatte er gerufen? Wieder und wieder versuchte ich, es von seinen Lippen abzulesen, wieder und wieder misslang der Versuch. War es ein Wort gewesen? Ein Wort wie Freiheit? Oder Leben? Oder Glück? War es ein Nein gewesen? Oder ein Ja? Ein schlichter Gruß? Vielleicht: Leb wohl? War es mein Name gewesen? Oder: Vater? Vielleicht: Mutter? Oder irgendetwas, was nicht von Bedeutung war, und es war sinnlos, es wissen zu wollen.

Die restliche Nacht verbrachte ich in einem Zustand der Entrücktheit. Ich schlief nicht, gleichwohl schlief ich den Schlaf eines Traumwandlers. Sobald ich die Augen zumachte, sah ich die Hand, in der Dunkelkammer meines Gedächtnisses, Kumamotos Hand, wie sie sich herausschälte, schrecklich einsam, sich abhob vom schwarzen Asphalt. Sie hatte auf mich gezeigt. Von allen Umstehenden auf mich. Und was mich am meisten daran bestürzt hatte, war die plötzlich in mir aufwallende Scham gewesen, dieses: Ich kenne ihn nicht. Er gehört nicht zu mir. Gerne werde ich weggetrieben. Von ihm, der da liegt und leidet. Die Scham war vergangen, so plötzlich, wie sie gekommen war, aber es nützte nichts, mir im Nachhinein einzureden, sie sei eine natürliche Reaktion gewesen. Sie war da, ich hatte sie gefühlt, sie war immer noch da gewesen, und mit ihr die Wut, dieses: Warum hatte Kumamoto etwas öffentlich gemacht, was nur ihn und ihn allein betraf? Warum hatte er mich zu solch feiger Scham gezwungen? Nie wieder, schwor ich, wollte ich jemandem anhängen. Nie wieder verstrickt sein in jemandes Los. Ich wollte eintreten in einen Raum ohne Zeit, wo mich nie wieder jemand bestürzen würde. Sollte das Leben draußen weitergehen. Ich wollte es aussperren, mich vor ihm verkriechen, nicht zulassen, dass es mir passierte. In meinen Blick hatte sich der eine Splitter gebohrt, durch den Kumamotos Sterbegedicht seinen Sinn bekam.

35

Am nächsten Morgen blieb ich liegen. Nichts Ungewöhnliches. Ich hatte schon öfter die Schule geschwänzt. Es war vorgekommen, dass ich drei, vier Tage lang zu Hause geblieben war, und man hatte mich, weil ich kluge Gründe gehabt hatte, in Ruhe gelassen. Hauptsache, du bringst gute Noten heim. Die verlorenen Stunden hatte ich dank des letzten in mir noch vorhandenen Eifers bald wieder wettgemacht.

Dieses Mal aber war es anders.

Eine Woche verstrich. Die Eltern waren besorgt. Eine Woche darauf waren sie missmutig. Eine Woche darauf verzweifelt. Lange verzweifelt. Dann wieder missmutig. Am Ende besorgt. Und so ging es rauf und runter, bis ich nicht länger auseinanderhalten konnte, ob aus Wochen bereits Monate und ob aus Monaten bereits Jahre geworden waren. Ich hatte die Tür zu meinem Zimmer verriegelt. Vergebliches Klopfen, ich antwortete nicht. Je nachdem, ob die Eltern besorgt oder missmutig oder verzweifelt waren, hatte ihr Klopfen einen grauen oder schwarzen oder weißen Klang. Es färbte die Stille, die mich in sich eingesogen hatte und die der Stille eines dunklen Waldes glich. Man geht einen gewundenen Pfad entlang. Schwankende Baumkronen, die Sonne fällt schräg durch die Äste. In ihren Strahlen flirren Spinnweben, zarte Gebilde aus Traumfäden. Man denkt: Wie still es hier ist. Und erkennt schon im nächsten Moment, dass man sich getäuscht hat. Die Stille des Waldes ist eine erfüllte Stille. Sie ist erfüllt von den Stimmen der Vögel, dem Knacken von morschem Holz. Die Käfer brummen. Ein müdes Blatt wirbelt herab. Wie Musik raunt die Stille, wie ein Lied ohne Anfang und Ende. Von diesem Lied stammen alle anderen Lieder ab. In meinem Zimmer erkannte ich: Die Stille hat einen Körper. Sie ist lebendig. Das Tropfen des Wasserhahns aus der Küche. Mutters Plüschpantoffeln. Das Läuten des Telefons. Der Kühlschrank geht auf. Vaters Schlürfen. Durch das zugestopfte Schlüsselloch konnte ich das, was draußen war, atmen hören und war erleichtert, nicht länger meinen eigenen Atem mit hineinmengen zu müssen. Ein Kribbeln auf der Kopfhaut. Ich spürte, wie meine Haare wuchsen.

36

Hat er sich wieder gemeldet?

Wer?

Kumamoto.

Nein, ich schüttelte den Kopf: Ich weiß nicht, was aus ihm geworden ist, und wenn ich ehrlich bin, ich will es auch gar nicht erfahren.

Warum nicht?

Er hat sein Gedicht geschrieben. Verstehen Sie? Nun schreibe ich meins.

Und wenn er noch lebte…

…habe ich trotzdem zwei Jahre in meinem Zimmer verbracht. Die zwei letzten Jahre meiner Jugend – geschenkt! Ihm geschenkt, der, ich kann es mir nicht anders vorstellen, im Grunde seiner Seele tot sein muss.

Darf ich es lesen? Dein Gedicht?

Es ist noch nicht fertig.

Aber da steht es doch.

Wo?

Auf dem Rücken deiner Hand.
So viele Narben. Ich verbarg sie blitzschnell.

37

Schwarzwurzeln, ein Nudelsalat, zwei Kroketten.

Die paar Brösel, die übriggeblieben waren, streute er vor die Tauben, die sich flügelschlagend um uns geschart hatten. Er stampfte auf. Sie schwirrten davon. Kamen wieder mit aufgeplusterten Hälsen. Hatten vergessen, dass er sie eben noch weggescheucht hatte. Die armen Tiere, murmelte er. Es muss schlimm sein. Ohne Erinnerung. Aber vielleicht nicht so schlimm, wie man sich's denkt. Ich meine. Wenn man alles vergessen würde. Würde man dann nicht auch alles vergeben? Sich selbst und dem anderen? Wäre man nicht frei von Reue und Schuld? Ein elektrisches Knistern, er wischte sich mit dem Ärmel einen unsichtbaren Fleck von der Hose. Nein, nicht wahr, das wäre zu einfach. Um zu vergeben, um wirklich frei zu sein, muss man sich erinnern, Tag für Tag.

Magst du weitererzählen?

Ja, ich mag vergeben. Der Satz kam so, genau so, aus mir heraus.

Ich bin kein typischer Hikikomori, fuhr ich fort. Keiner, von dem in den Büchern und Zeitungsartikeln, die man mir dann und wann zur Lektüre auf die Schwelle legt, die Rede ist. Ich lese keine Mangas*, ich verbringe den Tag nicht vor dem Fernseher und die Nacht nicht vor dem Computer. Ich baue keine Modellflugzeuge. Von Videospielen wird mir schlecht. Nichts soll mich ablenken von dem Versuch, mich vor mir selbst zu bewahren. Vor meinem Namen etwa, vor meinem Erbe. Ich bin der einzige Sohn. Vor meinem

Körper, dessen Bedürfnisse nicht aufgehört haben, mich zu erhalten. Vor meinem Hunger, vor meinem Durst. In den zwei Jahren, die ich abgesessen habe, überkam mich mein Körper drei Mal am Tag. Ich schlich dann zur Tür, öffnete sie einen Spalt weit, nahm das Tablett hoch, das Mutter mir hingestellt hatte. Wenn niemand zu Hause war, schlüpfte ich hinaus ins Badezimmer. Ich wusch mich. Seltsam, dieses Bedürfnis, mich zu waschen. Ich putzte mir die Zähne und kämmte mir die Haare. Sie waren lang geworden. Ein Blick in den Spiegel: Es gibt mich noch. Ich unterdrückte den Schrei, der in meiner Kehle saß. Auch vor ihm wollte ich mich bewahren. Vor meiner Stimme, vor meiner Sprache. Der Sprache, in der ich nun festhalte, dass ich nicht weiß, ob es den typischen Hikikomori überhaupt gibt. So wie es die unterschiedlichsten Zimmer gibt, gibt es die unterschiedlichsten Hikikomoris, die sich aus den unterschiedlichsten Gründen und auf die unterschiedlichste Art und Weise in sich verkrochen haben. Während der eine, ich habe von ihm gelesen, seine dahinschwindende Jugend damit verbringt, die immer gleiche Melodie auf einer nur dreisaitigen Gitarre einzuüben, hat der andere, auch von ihm habe ich gelesen, eine Sammlung von Muscheln angelegt. Nachts, wenn es dunkel ist, läuft er, die Kapuze überm Kopf, ans Meer und kehrt erst dann wieder heim, wenn der Morgen graut.

38

Mein Glück ist es, dass man mich bis heute in Ruhe gelassen hat. Denn es gibt auch solche, die man herausgelockt hat. Man verspricht ihnen eine Wiedereingliederung. Genesung auch. Arbeit. Erfolg. Mit diesem dünnen Versprechen auf den Lippen werden sie Schritt für Schritt zurück in die Gesellschaft, jenes große Gemeinsame, geführt. Man gewöhnt sie daran, ihr gefällig zu sein. Man harmonisiert sie. Ich aber habe Glück. Man rechnet nicht mit mir. Man schickt mir keinen Sozialarbeiter vor das Zimmer, der stundenlang auf mich einredet. Die Bücher und Zeitungsartikel, wenn ich umblätterte, Vaters Aftershave, dann wieder ein dumpfes Klopfen, Mutters Fingerabdruck in einem der Reisbällchen, dieses wenige Leben ist gerade genug, gerade noch aushaltbar. Man gewährt es mir. Das ist mein Glück. Teil einer Familie zu sein, die es mir gewährt, mich zu verschließen. Aus Scham, wohlgemerkt. Niemand soll wissen, dass ich ein Hikikomori bin. Den Nachbarn hat man erzählt, ich sei auf Austausch in Amerika, und nachdem ich nun wieder nach draußen gehe, hat man ihnen erzählt, ich sei zurückgekommen, bräuchte Zeit, mich an die Heimat zu gewöhnen. Mein Glück ist es, Teil einer Familie zu sein, die sich für mich schämt.

Und vielleicht ist es dieses Glück, das einen Hikikomori am ehesten kennzeichnet. Das Glück, auf unabsehbare Zeit aus dem Geschehen und Geschehenwerden, aus dem Zusammenspiel von Ursache und Wirkung befreit zu sein. Ohne ein menschliches Ziel vor Augen und ohne den Willen es zu erreichen, in einem ungeschehenen Raum zu verharren. Eine Kugel, die still im Abseits liegt und keine andere in Bewegung setzt. Indem man sich aussperrt, fällt man aus dem engmaschigen Geflecht von Kontakten und Beziehungen und man ist erleichtert darüber, nichts dazutun zu müssen. Diese Erleichterung: Man muss keinen Beitrag mehr leisten. Endlich gesteht man sich ein, dass einem die Welt vollkommen gleichgültig ist.

39

Es ist nicht leicht, einen Hikikomori in der Familie zu haben. Gerade am Anfang nicht. Man weiß: Da ist die Schwelle, dahinter sein Zimmer, darin hat er sich totgestellt. Er lebt noch, man hört ihn manchmal, viel zu selten, auf und nieder gehen. Man stellt ihm sein Essen vor die Tür und sieht, wie es verschwindet. Man wartet. Bestimmt muss er einmal ins Bad, auf die Toilette. Man wartet umsonst. Die erste Zeit bin ich nur hinaus, wenn ich mir sicher war, dass niemand mich in meinem Dasein stören würde. Mein Dasein bestand darin, dass ich fehlte. Ich war das Sitzkissen, auf dem keiner saß, der Platz am Tisch, der leer blieb, die angebissene Pflaume auf dem Teller, den ich zurück vor die Tür gestellt hatte. Indem ich fehlte, hatte ich gegen das Gesetz verstoßen, das besagt, dass man da sein und wenn man da ist, etwas tun, etwas erreichen muss.

Es ist aber auch nicht sonderlich schwierig, einen Hikikomori in der Familie zu haben. Die anfängliche Verzweiflung darüber zerstreut sich. Man ist nicht länger verzweifelt über sein Fehlen, eher verzweifelt darum bemüht, es zu verbergen. Eine Schande das. Unser einziger Sohn. Die Leute haben begonnen, über uns zu sprechen. Schiefe Blicke bei Fujimotos. Man tuschelt, ich kaufe für drei, wo ich doch eigentlich nur für zwei einkaufen sollte. Wenigstens hat er die Vorhänge zugezogen. Nicht auszudenken, was wäre, wenn man ihn sähe. Du weißt doch, was damals mit Miyajimas. Auch für sie hat man am Ende kein gutes Wort mehr gehabt.

Vater und Mutter waren sich einig: Name und Ruf mussten um jeden Preis gewahrt werden. Sie stritten viel darum, wer schuld sei an meinem Rückzug und wer der Schuldigere sei. Sie stritten leise, gerade leise genug, dass die Nachbarn sie nicht hören konnten. Du hast ihn verwöhnt, hieß es dann. Oder: Du bist nie für ihn da gewesen. Was aber Name und Ruf anging, waren sie sich einig, und ihre Einigkeit war mein Vorteil, da sie mir erlaubte, mich immer weiter zurückzuziehen.

Nur einmal haben sie versucht, mich herauszuholen. Am Höhepunkt ihrer Verzweiflung angelangt, brachen sie mit einem Stemmeisen die Türe auf. Vater stürmte herein, er war außer sich. Und wenn ich dich hinaus prügeln muss! Er erhob seine Hand. Kumamotos. Sekundenlang in der Luft. Ich wich zurück. Pfeifend ging sie hernieder. Schlug ins Leere. Sackte kraftlos zu Boden. Ich sagte: Ich kann nicht mehr. Sagte es mehr zu mir selbst. Ab da ließ man ganz von mir ab.

40

Haben Sie zugehört?

Ein Hm.

Dann schwieg er. Sein Schweigen bewertete nicht, was und wie ich es gesagt hatte. Es war ein Hm, weiter nichts, und mit einem Hm wanderte die Sonne quer über den Himmel. Als wir wieder zu sprechen begannen, waren es Kleinigkeiten, bei denen wir verweilten. Das Wochenende. Das Wetter. Wenn es so schön bleibt, fahren wir morgen ans Meer. Kyōko liebt das. Irgendwohin fahren.

Noch ein Hm.

Dann war er eingeschlafen.

Mir fiel auf, dass ich vieles ausgelassen hatte. Zum Beispiel hatte ich ausgelassen, dass Kumamoto mich manchmal seinen Zwilling genannt hatte. Genauer: seinen Seelenzwilling. Ich hatte ausgelassen, dass ich ihn vermisste. Ich hatte ausgelassen, dass Mutter sehr oft um mich weinte. Und dass Vater nie vergaß, mir mein Taschengeld unter der Tür zuzuschieben. Ich hatte ausgelassen, dass es gerade diese Auslassungen waren, die meiner Geschichte Kontur verliehen. Kumamoto hatte Recht behalten: Man könnte Sterbegedichte schreiben, Millionen, über ein und denselben Tod, und doch sagten sie, jedes einzelne, etwas anderes, je nachdem, was sie ausließen.

41

Samstag und Sonntag schlichen träge dahin. Unser Abschied war unbeschwert gewesen. Also, dann. Mach es gut. Man sieht sich. Keine Peinlichkeit hatte sich zwischen uns gestellt, und umso ungeduldiger wartete ich auf Montagmorgen. Ob er wohl wiederkäme? Die Frage beklemmte mich. Sie klang wie das Rattern der Schienen. Wie ein jetzt! jetzt! jetzt! Und eine glatte Durchsage: eine Fahrtbehinderung. Wir danken für Ihr Verständnis. Jemand flüstert in sein Handy: Es hat wieder einen erwischt.

Zum ersten Mal seit langem hatte ich Lust, mich abzulenken. Die Eltern waren ausgegangen, ich sah die Lichter ihres Autos, wie es aus der Hauseinfahrt bog. Kaum waren sie weg, schlich ich, selbst jetzt noch auf Zehenspitzen, ins Wohnzimmer hinüber. Ich schaltete den Fernseher ein. Eine Kochsendung. Weiter. Ein Baseballmatch. Ich ließ es laufen, während ich, nun schon fester auftretend, vom Wohnzimmer ins Schlafzimmer, vom Schlafzimmer ins Badezimmer, vom Badezimmer ins Gästezimmer ging. Ein verlassenes Bett inmitten von Kartons. Zerlesene Bücher. Ein Teddy. Altes Kinderspielzeug. Der vertraute Geruch von Dingen, die man einst wertgeschätzt hat. Das Gästezimmer war eine Rumpelkammer geworden. Der letzte Gast, der hier geschlafen hatte, war Mutters Freundin, Tante Sachiko, gewesen. Besucher kamen nur mehr selten und wenn, dann bloß auf ein Wort im Eingang. Das ganze Haus schien darauf zu warten, dass wieder jemand käme, um es mit Leben zu füllen. Es war ein trauriges Haus. Um es zu trösten, ging ich noch einmal vom Gästezimmer ins Badezimmer, vom Badezimmer ins Schlafzimmer, vom Schlafzimmer ins Wohnzimmer und hinterließ überall dort, wo es mir gerade gefiel, eine Spur, die ihm sagen sollte, dass es noch ein kleines bisschen Leben in ihm gab. Ich verrückte Gegenstände. Einen halben Zentimeter weit. Drückte Kuhlen in Polster und Kissen. Tauschte ein Handtuch gegen ein anderes. Und stellte die Uhren eine Minute zurück. Von den Wänden im Flur lächelten Fotos aus einer fernen Vergangenheit. Bei einem blieb ich stehen. Es zeigte uns zu dritt vor einer nachträglich dazumontierten Kulisse. Die Golden Gate Bridge. Darüber ein riesenhaft aufgeblasener Mond. Niemals waren wir in San Francisco gewesen. Ich drehte das Foto gegen die Wand.

42

Und? Sind Sie ans Meer gefahren?

Nein. Er versuchte zu lachen, es misslang. Kyōko meinte, ich sähe erschöpft aus und solle einmal einfach nur sitzen und Stille halten. Sie meinte: Ich würde mich sonst noch zu Tode arbeiten. Typisch Kyōko, sie kennt mich zu gut. Sie weiß, dass ich ein Mensch bin, dem es schwerfällt, nichts zu tun. Jedenfalls war ich das mal. Aber das ist nun schon ein ganzes Weilchen her.

Zwei Monate?

Ja. Ungefähr zwei. Seit ich entlassen wurde, ist die Zeit

eine ungefähre. Dabei weiß ich eigentlich gar nicht mehr, wie ich sie überhaupt jemals hingebracht habe. Mir scheint, ich habe immer nur gearbeitet, nichts als gearbeitet, und zwar im Gegensatz zu manch anderem: gern.

Aber warum sind Sie dann hier?

Ich konnte zuletzt nicht mehr mithalten. Er sprach, ohne mich anzuschauen, das Gesicht leicht zur Seite gedreht. In der Firma hatte ich begonnen aufzufallen. Zehn junge Köpfe. Darunter ich, ein grauer. Zwanzig Hände. Darunter meine, zu langsam. Ich fiel auf als einer, der verfiel. Sogar beim Trinken nach der Arbeit hatte ich nachgelassen. Während die anderen tranken, bis sie umkippten, trank ich bloß die Hälfte und kippte trotzdem um. Kein Vergnügen, wenn man dann daliegt und nicht mehr weiß, wie man in den morgigen Tag kommen soll. Man fängt an, sich alle möglichen Fragen zu stellen. Man sieht in den Spiegel und schaut schnell wieder weg. Man vermeidet es, das Wort alt in den Mund zu nehmen. Doch es rutscht einem raus, gerade dann, wenn es nicht passt. Und unpassend ist man selbst, irgendwie passt man nicht länger hinein.

43

Einmal stolperte ich. Es war ein Missgeschick. Ich war dabei, einen Stapel Papier ins Büro eines Kollegen zu tragen. Eine Zeitlupenaufnahme. Da war das Kabel. Ich sah es. War mit dem einen Fuß schon auf der sicheren Seite. Blieb mit dem anderen hängen. Das Papier stob auseinander. Um mich herum schwarze Zahlen. Eine rote: Achtundfünfzig. Sie lachte mich aus. Zehn Krawatten waren meine Zeugen. Zwanzig Augen, ein Blick. Der ist weg, tuschelte einer, aber sowas von weg.

Mein Missgeschick, das einzig große, das mir in den fünfunddreißig Jahren, die ich gearbeitet habe, unterlaufen war, löste eine Kette von Fehlern und Unsicherheiten aus. Ich war gestolpert im wahrsten Sinne des Wortes, und das, was mir entglitten war, war weitaus mehr als bloß ein Stapel Papier gewesen. Ich beobachtete mich. Etwas stimmte nicht mit mir. Ich tastete meine Arme und Beine ab. Lief versuchsweise die Gänge auf und nieder. Probierte diesen, dann wieder jenen Schritt. Kaufte Schuhe mit rutschfester Sohle. Nur um festzustellen: Was mir abhanden gekommen war, war nicht die Fähigkeit, auf gerader Linie zu gehen, sondern ein gewisser elastischer Schwung, eine Selbstverständlichkeit. Ich konnte mich selbst nicht mehr einholen. Ich hinkte mir selbst hinterher.

44

Und diese Müdigkeit.

Sie kam wie der erste Schnee im Winter. Gerade war alles noch gelb und rot und blau gewesen, nun war es weiß. Und gerade war alles noch ein Haus, ein Baum und ein Hund gewesen, nun war es ein formloser Haufen, und ich wusste nicht, was darunter lag. Die Müdigkeit deckte mich zu. Eine bleierne Schwere. Ich würde in der U-Bahn sitzen, auf dem Weg in die Arbeit, und überlegen, wie ich es anstellen sollte aufzustehen. Ich würde aufhören, mich hinzusetzen. Eine Hand in der Halteschlaufe, würde ich aufrecht dastehen, damit sie mich erst gar nicht überkommen würde. Es war ein Kampf gegen die Schwerkraft. Meine Augenlider würden darüber zufallen. Die Finsternis, nachdem sie zugefallen waren, gewann mehr und mehr Macht über mich.

Diese heimtückische Müdigkeit.

Bald hatte sie nicht nur meine Glieder, sondern auch, kann das sein, mein Gehirn erfasst. Ich verstand, was man mir auftrug, und verstand es doch nicht. Im Genick ein Gewicht, balancierte ich entlang einer schmalen Linie, und ein Tippfehler oder ein Fleck am Hemd hätten genügt, mich kopfüber ins Bodenlose zu stürzen. Aber ich stürzte nicht mehr. Ich schlief ein. Nach fünfunddreißig Jahren, ich muss das betonen, nach fünfunddreißig Jahren schlief ich an einem Montagnachmittag über meinem Schreibtisch ein. Es war kein Sekundenschlaf. Nein. Kein Waten in seichtem Gewässer. Mehr ein Tauchen in abgründigster See. Ich war ein Schiffswrack, von Algen zerfressen, und die Fische schwammen in schillernden Schwärmen durch meinen Bauch.

45

Als man mich wachrüttelte, wusste ich: Nun bin ich weg. In meinem Mund war der schale Nachgeschmack von einem Traum, an den ich mich nicht mehr erinnern konnte, und fast wünschte ich, man hätte mich nicht daraus geweckt.

Wenig später wurde ich entlassen.

Nicht effizient genug, hieß es.

Ich packte meine Sachen und warf sie in den nächsten Mülleimer. Eine Last fiel von mir ab. Ja, ich schäme mich zuzugeben, dass ich einen köstlichen Augenblick lang nichts anderes als Erleichterung empfand. Man brauchte mich nicht. Ich musste nichts mehr beweisen. Das Gefühl, endlich versagt zu haben, berauschte mich. Ich war das stürmische Aufflackern einer Kerze, deren Flamme nur noch von einem verschwindenden Rest Wachs genährt wird. Sie weiß, dass sie bald verglühen wird. Und deshalb glüht sie, ein letztes Mal noch, heller als jemals zuvor.

Wohin gehen? Nicht nach Hause. Ich setzte mich, noch immer erleichtert, in eine Kneipe, nicht weit von hier, und wankte fünf Biere später wieder hinaus. Laue Frühlingsluft. Driftende Wolken. An einer der Ecken, an denen ich vorüberkam, hielt ein Betrunkener eine feurige Rede zur Lage der Nation. Ein breiiger Husten, dann spuckte er aus. Als unsere Blicke sich trafen, rief er: Mein Bruder, wo bist du gewesen? Angewidert wandte ich mich ab. Er ging mir nach. Ich spürte seinen Blick im Rücken. Er kam mir näher. Ich spürte seine Hand. Voller Wucht stieß ich ihn nieder, trat wie von Sinnen auf ihn ein. Er wehrte sich nicht, das machte mich wütend. Er gab keinen meiner Flüche zurück. Ein Baby, das röchelt: Wo bist du gewesen? Ich beugte mich über ihn. Er war blau im Gesicht. Mein lieber Bruder. Sein Röcheln verfolgte mich.

Erst zu Hause kam die Müdigkeit wieder. Die knorrige Wurzel in der Einfahrt. Aufgesprungener Asphalt rundherum. Ich schaffte es kaum durch das Gartentor. Kyōkos Blumentöpfe. Ein Handschuh. Ausgebeulte Finger. Der Schlüssel griff mürbe ins Schloss. Zärtlicher Widerhall: Wo bist du gewesen? Ich lallte: Das Schönste am Arbeiten ist das Nachhausekommen.

Du Dummkopf du.

Es roch nach Pilzen und Zwiebeln.

46

Ich habe Kyōko niemals mit einer anderen Frau betrogen. Ich kann das ehrlich behaupten. Keine Versuchung war so groß wie das Versprechen, das ich ihr gegeben hatte.

Hashimoto, ein Freund aus Studienzeiten, pflegte zu spotten, ich sei ein Feigling. Er selbst, verheiratet, ließ keine

Gelegenheit aus, die sich ihm bot, und die Gelegenheiten waren reichlich, denn er war ein gutaussehender, zudem ein gutverdienender Mann. Ich staunte über seine Fähigkeit, von einem Körper zum andern zu bummeln. Er sagte es so: Ich bummle. Wie schaffst du das nur, dir nichts anmerken zu lassen? Darauf er: Das ist keine Kunst. Mit einer ersten Lüge fängt es an. Man setzt sie ein. Ins System. Sie treibt Wurzeln darin. In diesem ersten Stadium ihres Wachstums reichte ein Ruck, um sie herauszureißen. Es folgt die zweite Lüge. Die Wurzeln greifen tiefer. Die dritte, die vierte, die fünfte Lüge. Nunmehr braucht es eine Schaufel. Die sechste. Die siebte. Es braucht einen Bagger. Das Wurzelwerk hat sich bereits weit verzweigt. Ein unterirdisches Geflecht. Man sieht es nicht. Erst wenn man es ausheben würde, wäre es sichtbar als das Loch, das bliebe. Die achte, die neunte, die zehnte Lüge. Irgendwann ist das System zur Gänze durchdrungen. Bei dem Versuch, die Wurzeln aus der Erde zu stechen, würde die Oberfläche in sich zusammenbrechen.

Hashimoto bummelt noch heute. Erst kürzlich bin ich ihm in einem Kaufhaus über den Weg gelaufen. Ich fragte: Wie geht es dir? Er: Keine Einbruchstellen. Sein Lachen war unbeschadet. Er hatte sich seine jugendliche Frische bewahrt. Und deine Frau? Dort drüben steht sie doch. Er zeigte auf eine Gruppe von Frauen, die an einem Wühltisch standen. Die mit dem Halstuch. Ich erschrak. Ein zerstörtes Gesicht. Sie war hundert, nein, hunderte Jahre alt. Was ist passiert? Er lachte, die weißen Zähne gebleckt: Das Leben! Mensch! Das Leben! Ein Quäntchen zu laut. Ich sah ihnen nach, wie sie die Rolltreppe nach oben verschwanden, er gerade, sie gebeugt, ein ungleiches Paar. Ihre Rücken standen gegeneinander, ein jeder für sich allein.

47

Was ich sagen möchte. Die Lüge hat ihren Preis. Einmal gelogen, findet man sich in einem anderen Raum. Man lebt unter einem Dach, hält sich in denselben Zimmern auf, schläft im selben Bett, wälzt sich unter einer Decke. Die Lüge aber frisst sich mitten hindurch. Sie ist ein Graben. Unüberbrückbar. Sie macht, dass ein Haus in zwei Teile zerfällt. Und wer weiß, ob es sich mit der Wahrheit nicht ebenso verhält?

Ich, der Kyōko niemals betrogen hat, fühle mich so, als ob ich eine Geliebte hätte. Ihr Name ist Illusion. Sie ist nicht schön, aber hübsch genug. Lange Beine. Rote Lippen. Gelocktes Haar. Ich bin verrückt nach ihr. Zwar möchte ich kein neues Leben mit ihr beginnen, baue aber trotzdem Luftschlösser mit ihr. Ich führe sie in die teuersten Restaurants der Stadt. Ich füttere sie. Ich miete ein Appartement. Ich erhalte sie. Koste es, was es wolle. Sie befriedigt mich und meine Männlichkeit. An ihrer Seite bin ich wieder jung und stark. Sie säuselt: Die Welt liegt dir zu Füßen. Sie glaubt an mich und meine Möglichkeiten, und ich glaube an ihren Glauben an mich und lasse mich ganz und gar von ihm umschmeicheln. Ich bin ein bequemer Abenteurer.

Zu Hause schwebe ich in einer Blase. Sie ist so dünn, dass eine Berührung sie zum Platzen brächte. Also bemühe ich mich, nicht berührt zu werden. Ich sitze vor dem Fernseher und schaue die Nachrichten. Wenn Kyōko mich fragt, wie es in der Arbeit gewesen ist, oder warum ich neuerdings keine Überstunden mehr mache, oder ob ich in dieser oder jener Sache schon mit meinem Chef gesprochen habe, sage ich: Sch. Nicht jetzt. Sie wiederholt die Frage. Schon schwächer. Ich sage: Später. Bitte. Sie zuckt mit den Schultern. Ich wage aufzuatmen. Die Blase, in der ich schwebe, zittert kaum merklich vom Hauch meines Atems.

Es ist eine Entscheidung.

Und damit packte er sein Bentō aus. Wieder Reis mit Lachs und eingelegtem Gemüse. Ich habe mich dazu entschieden, so zu tun, als ob. Denn das ist mein Versprechen gewesen: Dass der Alltag, unser Alltag, zu unserer Zuflucht werden würde. Ihn gilt es aufrechtzuerhalten. Bis zuletzt.

Endlich schaute er mich an. Zwinkerte: Kyōkos Bentō schmeckt einfach zu gut, als dass ich es missen wollte.

48

Haben Sie Kinder, fragte ich.

Nein. Er duckte sich ein wenig. Nein. Warum?

Ich dachte mir gerade, Sie wären ein sehr guter Vater.

Ich?

Ja, Sie.

Und was bringt dich dazu, das zu denken?

Weil Sie selber manchmal wie ein Kind aussehen. Wenn Sie essen, zum Beispiel. Sie tun es wie ein Kind, das nichts anderes kennt als eben das, was es gerade tut.

Und das machte mich zu einem guten Vater?

Nun, sagen wir: zu einem gegenwärtigen Vater.

Er verbiss sich ein Wort.

Das Mädchen dort etwa. Sehen Sie es? Es rührt ohne Unterlass mit seinem Finger in der Pfütze. Es malt etwas hinein. Sieht das Bild, wie es zerrinnt. Beginnt von vorne. Malt lauter Bilder, die zerrinnen. Es ist ein sinnloses Spiel, und dennoch: ein glückliches. Das Mädchen lacht immerfort. Ich frage mich oft, warum man das nicht mehr kann, sinnlos glücklich sein. Warum man, wenn man groß wird, in engen und niedrigen Räumen sitzt, egal wo man ist, höchstens von einem Raum zum anderen geht, wo man doch als Kind in einem Raum ohne Wände war. Denn so habe ich es in Erinnerung: Als ich klein war, war mein Obdach meine Gegenwärtigkeit. Weder die Vergangenheit noch die Zukunft konnten mir irgendetwas anhaben, und wie schön, wenn das heute noch so wäre. Wenn man zum Beispiel arbeiten könnte nicht um des Ergebnisses willen, sondern arbeiten aus Hingabe, ohne Anstrengung.

Wieder biss er sich die Lippen weiß.

Ich seufzte, nahm sein Seufzen vorweg.

Er stimmte mit ein und sagte: Das wäre wirklich sehr schön.

49

Für mich ist der Zug jedenfalls abgefahren, und ich bin froh darüber, dass er ohne mich losgerollt ist. So weit ich zurückdenken kann, hatte ich niemals den Wunsch, irgendein Ziel zu erreichen. Nicht von mir aus, meine ich. Die guten Noten waren nicht für mich, sondern für die Eltern, die dachten, es würde einmal etwas Solides aus mir werden. Es war ihr Ehrgeiz, nicht meiner. Es war ihre Vorstellung von einem nach vorwärts gerichteten Leben.

Die Schuluniform habe ich noch. Sie hängt im dunkelsten Eck meines Zimmers, ein Gewand ohne Inhalt. Sie sieht aus wie eine jener Gestalten, denen man in einem Traum begegnet. Du kennst sie nicht und spürst trotzdem eine eigentümliche Verwandtschaft. Bei näherem Hinschauen stellt sich heraus, sie ist dein Schatten.

Würde ich die Uniform heute anziehen, ich würde sie kaum ausfüllen können. Es wäre ein lächerlicher Anblick, so lächerlich, wie ich mich damals, als ich sie trug, gefühlt habe. Ein als Schüler verkleideter Mensch, der vorgibt, etwas zu lernen, in Wirklichkeit aber alles verlernt, was wichtig ist. Auch das ein Grund, warum ich ein Hikikomori bin. Weil ich wieder lernen möchte hinzuschauen. Von meinem Bett aus schaue ich in den Riss hinein, den ich einst aus Wut über mich in die Wand geschlagen habe. Ich schaue so lange hinein, bis ich beinahe ganz in ihn eingegangen bin. Die Zeit hat Falten, er ist eine davon. Ich schaue hinein, um mich an die vielen Momente zu erinnern, in denen ich weggeschaut habe.

50

Ich war vierzehn. Ein mittelmäßiger Schüler. Meine Noten waren gut, aber nicht zu gut, und dieses Mittelmaß zu halten, davon hing, soviel hatte ich bereits gelernt, mein Überleben ab. Es ging darum, normal zu sein. Unter keinen Umständen irgendwie anders als normal. Denn wer auffällt, zieht den Unwillen derer auf sich, die, von ihrer Normalität gelangweilt, nichts Besseres zu tun haben, als ihn, der anders ist, zu quälen. Und wer will das? Wer übergibt sich freiwillig der Folter? Also fügt man sich und ist dankbar dafür, dass man zu denen gehört, die nicht herausstechen.

Takeshi aber. Er stach heraus. Kobayashi Takeshi.

Er war in Amerika aufgewachsen, gerade erst zurückgekommen. Wenn er New York oder Chicago oder San Francisco sagte, sagte er es so, als ob es gleich dort hinten, um die Ecke wäre. Sein Englisch ein Fluss, ich konnte mich nicht satt daran hören. Er sagte Hi. Und Thank You. Und Bye. Aus seinem Mund kamen die Wörter wie ein geschmeidiger Wind. Zu geschmeidig, fanden einige und lauerten ihm auf. Anderntags hatte er einen Zahn weniger. Er lispelte: Ich bin hingefallen. Der Zahn wurde ersetzt, das

Lispeln blieb. Und schlimmer noch. Er begann Fehler zu machen. Wenn der Englischlehrer ihn bat, etwas vorzusprechen, versprach er sich. Wenn er ihn bat, etwas vorzulesen, verlas er sich. Nach und nach verlor er die Fähigkeit, die Sprache, mit der er aufgewachsen war, die Sprache, die einmal seine Heimat gewesen war, flüssig über die Lippen zu bringen. Er ging sogar soweit, unseren Akzent zu imitieren. Er sagte San Furanshisuko und es war auf einmal weit, weit fort. Ein unerreichbarer Ort. Es war grausam mitanzuhören, wie er sich dazu zwang. Vor jedem Wort, das er sagte, hielt er kurz inne und trauerte ihm nach.

Das Fatale daran: Ich hätte er sein können. Aber ich wurde verschont. Immerhin war ich der Beobachter, und man brauchte so einen wie mich, der zu- und dann wegschaute. Das Mittelmaß hielt ich eben dadurch, dass ich so tat, als ob ich nichts gesehen hätte. Und das Paradoxe daran: Ich war ein Meister darin. Mit vierzehn Jahren hatte ich bereits die Meisterschaft darin erlangt, das Leid eines anderen geflissentlich zu übersehen. Mein Mitgefühl beschränkte sich darauf, der stumme Zeuge zu sein.

Hm.

Und wieder Hm.

Er summte ein Lied. Zog an seiner Zigarette. Summte weiter. Ein Häufchen Asche fiel auf seine Brust, ein leichter Wind wehte es fort. Das Klingeln einer Fahrradglocke. Ich hätte gerne geweint. Von den Sträuchern regneten Blüten, zartgelb.

Takeshi war nicht der einzige, nicht wahr?

Nein. Da war noch Yukiko.

Hm.

Miyajima Yukiko.

Der Kloß im Hals verdickte sich. An diesem Montag brachte ich nicht mehr als ihren Namen heraus.

51

Es sieht nach Regen aus. Er gähnte.

Ich folgte seiner Bewegung in den trübblassen Himmel hinein.

Morgen. Was ist morgen? Richtig. Dienstag. Die Woche hat soeben erst begonnen. Wenn es regnet ... er kramte ein Kärtchen aus der Tasche. Kritzelte, die Zungenspitze nach vorne geschoben, in großen Lettern: MILES TO GO. Ein Jazzcafé. Wenn es regnet, sagte er, bin ich dort.

Aber.

Was, aber?

Mir war schwindlig geworden. Die Vorstellung, ich müsste an Tischen und Stühlen vorbei, quer durch einen von Menschen schwitzenden Raum, mich hinsetzen, dem Blick des Kellners begegnen, an einem Glas nippen, an dem weiß Gott wer vorher genippt hatte. Noch immer dabei, mich an den Park und unsere Freundschaft zu gewöhnen, überstieg diese Vorstellung das Maß an Möglichkeit, welches ich mir zutraute.

Es ist bloß. Ich stammelte. Draußen ist mehr Platz zwischen den Menschen.

Ich verstehe. Er war aufgestanden. Dann also bis zum nächsten Mal Sonnenschein. Es war sechs Uhr. Auf der Rückseite des Kärtchens las ich seinen Namen, Ōhara Tetsu, und seine Adresse. Eine Visitenkarte. Ich bin ein Feigling, dachte ich. Und: Wieder etwas, was ich in meinem Zimmer, in der Schublade, unter dem jahrhundertealten Stein --- ich dachte den Gedanken nicht zu Ende.

52

Schnell, schnell. Durch den Flur. Wer lächelte da? Das Bild von der nie stattgefundenen San Francisco-Reise hing, als ob ich es nicht umgedreht hätte, sorgsam geradegerückt und abgestaubt, an der Wand. Vaters Hand auf meiner Schulter. Mutters Cheese, es rief aus dem Rahmen heraus. Ich, pickelig, die Kappe schief, Zeige- und Mittelfinger zu einem Victory-Zeichen gespreizt. Ein festgefrorener Augenblick. Ein Sandkorn im Stundenglas. Gleich würde es durch die enge Taille rutschen. Ein paar Sandkörner später und ich würde Vaters Hand abschütteln. Mutters Cheese, es würde zerfallen. Was hat er nur, der Junge. Lass ihn. Eine Phase. Die Wahrheit ist: Sie wollten es lieber nicht wissen. Die Wahrheit ist: Ich wollte es sie lieber nicht wissen lassen. Wir hatten einen Pakt geschlossen: Lieber nichts wissen voneinander. Und dieser Pakt ist das, was Familien über Generationen zusammenhält. Wir waren Maskenträger. Unsere Gesichter darunter nicht länger erkennbar, da wir mit unseren Masken verwachsen waren. Es tat weh, sie herunterzureißen. So weh, dass der Schmerz, einander niemals von Angesicht zu Angesicht begegnen zu können, erträglicher war als der Schmerz, sein wahres Gesicht zu zeigen. Schon dieses Foto-Ich wusste es. Es wusste, es gibt keinen besseren Ort, sich zu verstecken, kein idealeres Schlupfloch als die Familie. Sie ist das leere Quadrat, das bleibt, vergilbte Ränder, wenn man ein Bild von der Wand nimmt. Ich schob es lautlos in den Müll vor der Tür. Schlich zurück über den Flur in mein Zimmer. Erst als die Tür hinter mir zugefallen war, fragte ich mich, ob nicht auch mein Hikikomori-Ich, meine vollkommene Gleichgültigkeit gegenüber der Welt, eine Maskerade war. Meine Antwort: Ich bin müde.

53

Zwei Tage vergingen. Trommelnde Regentropfen. Durch den Spalt in den Vorhängen sah ich, der Himmel war zugenäht. Kein Wolkenriss in Sicht. Ich lief auf und ab. Ein Tier im Käfig, das von der Weite der Steppe träumt. Immer wieder streifte ich die Gitterstäbe, kaltes Eisen an Sehnsuchtsfell. Am dritten Tag endlich überlistete ich mich selbst und brach aus. Der Käfig war nur ein Gedanke gewesen.

Von den vorspringenden Dächern troff das Wasser herab. Ich lief, den Schirm schräg vor mir her, in nassen Schuhen. MILES TO GO. Ich hatte mir vorgenommen, wenigstens daran vorbeizugehen. An flackernden Leuchtbuchstaben vorbei und vielleicht einen flüchtigen Blick zu erhaschen. Vielleicht. Mit diesem Vielleicht im Kopf streunte ich, ein ausgebrochenes Tier, ein Löwe vielleicht oder ein Panther, durch die von Wind und Regen gepeitschten Straßen.

Dort vorne musste es sein. Das Vielleicht war in meine Brust und von dort aus in sämtliche Teile meines Körpers gedrungen, pumpte mich vorwärts, bis an die Tür und daran vorbei, um die Ecke, um den Häuserblock, und von Neuem: Daran vorbei, um die Ecke, um den Häuserblock. Ich kann nicht sagen, wie oft. In meiner Erinnerung ging ich Meilen. Als ich schließlich die Klinke berührte, kaltes Eisen an Sehnsuchtshand, war ich erschöpft wie von einer langen Reise.

Im Café stand der Rauch. Leises Gläserklirren. Ein verhaltenes Nichts, nichts. Jemand telefonierte. Das Schmelzen eines Eiswürfels. Es knackte. Das Licht war gedämpft. Hiro! Seine Stimme war ein Faden. Er spulte mich auf. Komm, setz dich. Was willst du trinken? Eine Cola! Er schnippte mit den Fingern. Schön, dass du da bist. Ich versank in der weichen Polsterung eines Ledersessels.

54

Er sah anders aus als im Park. Irgendwie größer. Ohne Himmel über ihm war er ein größerer Mann. Während ich, kleiner und kleiner werdend, nicht wusste, wohin ich schauen sollte. Das beschlagene Glas vor mir, spürte ich, ich war in eine Falle geraten. Was hatte ich eigentlich mit ihm zu tun? Wie war es soweit gekommen, dass ich, den Hals in der Schlinge, mit einem Fremden, inmitten von Fremden, einer Trompete lauschte?

Einfach fabelhaft! Er wippte im Rhythmus der Musik. Man verliert jedes Raum- und Zeitgefühl. Was ist los? Ist dir schlecht? Du hast ja gar keine Farbe! Was kann ich tun? Brauchst du etwas?

Ich winkte ab.

Aber natürlich! Du bist über deinen eigenen Schatten gesprungen! Keine Angst, jetzt bist du drüber. Ein beschwichtigendes: Es geschieht nichts. Wirst sehen. Das ist kein Ort, an dem etwas geschieht, und jeder, der hierherkommt, kommt deshalb, weil es so ist. Man tritt ein in eine Kapsel aus raum- und zeitloser Musik. Warum, denkst du, habe ich dieses Café ausgesucht? Doch nur, weil ich mir sicher war, dass es deinem Zimmer gleichen würde. So ist es gut. Nun hast du wieder ein bisschen mehr Blut in den Wangen. Mit diesen Worten wurde er kleiner, ich größer, bis wir beide wieder unsere ursprüngliche Größe angenommen hatten. Was mich weiter verstörte, war alleine die Einsicht, wieviel Mut in mir war. Es hatte Mut gebraucht, hierherzukommen, es hatte Mut gebraucht, mich ihm anzuvertrauen.

55

To want a love that can't be true. Eine kehlige Frauenstimme.

Kyōkos Lieblingsnummer. Er lachte. Das Lied, das sie auflegt, wenn sie Lust hat zu weinen. Komisch, nicht? Manchmal hat sie Lust, sich flach auf den Boden zu legen und ihn über und über mit ihren Tränen zu benetzen. Sie bezeichnet das als eine Art Reinigung. Es reinige ihre Augen, sagt sie, danach könne sie klarer sehen. Nicht aus Traurigkeit weint sie. Sie weint, um eine klarere Sicht auf die Dinge des Lebens zu erlangen. Die Augen, aus ihrem Mund klingt das wie eine neue oder gerade erst wiedergefundene Weisheit, seien die Fenster, aus denen die Seele schaut. Ob ich das begreifen wolle? Ob ich es aushalten wolle?

Wir waren einander vermittelt worden. Man hatte mir ein Foto von ihr gezeigt. Dreiundzwanzig Jahre alt, Typistin, liest und singt gerne, zeichnet. Der Vater Bankbeamter, die Mutter Hausfrau, keine Geschwister. So wurde sie mir beschrieben. Braves Kameragesicht, die Hände ordentlich im Schoß gefaltet. Bloß die Frisur! Nicht sonderlich vorteilhaft. Ich willigte ein, sie zu treffen, ohne eine bestimmte Vorstellung von ihr zu haben. Sie gefiel mir, und sie gefiel mir nicht. Im Grunde war es das Drängen der Familie, dem ich nachgab. Ich war fünfundzwanzig und hatte einen gut bezahlten Job. Was fehlte, waren Frau und Kind, ein gemütliches Heim. Nach dem Vorbild meiner Eltern zu beurteilen, war das weder etwas Wünschenswertes noch war es nicht wünschenswert. Es war einfach so, dass es von mir erwartet wurde und dass ich es selbst auch erwartete, weil man als Mensch nicht komplett ist, wenn man keinen anderen neben sich hat.

56

Wir trafen uns zum Abendessen in einem Hotel. Meine Eltern, nervöser als ich. Okada-san*, die Vermittlerin, mit krampfig nach oben gezogenen Mundwinkeln. Eine Puppe aus Wachs, sie könnte jederzeit sehr, sehr weich, jederzeit sehr, sehr hart werden. Ich fand sie gleichzeitig freundlich und unfreundlich. Es gibt solche Leute. Sie lassen einen im Ungewissen darüber, wie man sie finden soll. Ah! Da sind sie ja schon! Sie winkte mit wächserner Hand. Matsumoto-san! Eine steife Bewegung. Ich stand einer Frau gegenüber, die mit der Frau auf dem Foto nicht die geringste Ähnlichkeit hatte.

Von wegen brav. Er lachte laut auf. Sie benahm sich wie jemand, der den festen Vorsatz gefasst hat, nicht gemocht zu werden. Die Lippen gekräuselt, sah sie mich von oben nach unten hin an und sagte: Da sieht man mal wieder, wie man sich täuschen kann. Ein Foto ist eben nur eine Kopie. Das Original ist vergleichsweise uninteressant. Sie sagte es lächelnd. Das saß.

Sie liest und singt gerne, wurde von Okada-san mit besonderem Nachdruck betont. Am liebsten, fuhr ihr Kyōko dazwischen, habe ich Bücher und Lieder, die davon handeln, eine Tochter zu verheiraten, die das nicht will. Betretenes Schweigen. Okada-san tupfte sich mit einem Taschentuch über Stirn und Augenbrauen, die Eltern stocherten verlegen in ihren Tellern. Und falls es Ihnen nicht aufgefallen ist, Kyōko sprach mit vollem Mund: Ich trage auf dem Foto eine Perücke. Ich verschluckte mich. Prustete. Sie sprang auf und versetzte mir einen Schlag auf den Rücken. So, nun wissen Sie, dass ich kräftig zuschlagen kann. Ich kann nicht nur lesen und singen. Ich kann Ihnen, wenn es sein muss, auch einen Schlag versetzen, den Sie so bald nicht wieder vergessen werden. Oh wie nett, Okada-san schaltete sich ein, sie besitzt Geistesgegenwart. Eine Eigenschaft, die man bei jungen Frauen häufig vermisst. Ich brach in unkontrollierbares Gelächter aus. Entschuldigen Sie! Nichts zu entschuldigen. Ein Mann sollte sich nicht für sein Lachen entschuldigen und eine Frau nicht für die Tränen, die sie weint. Manchmal, Kyōko legte Gabel und Messer nieder, habe ich Lust, mich flach auf den Boden zu legen und ihn über und über mit meinen Tränen zu benetzen. Wollen Sie das begreifen? Wollen Sie es aushalten? Sie hatte ihre Stirn streng in Falten gelegt. Ihr Gesicht, ihr originales, aufs Kinn gestützt, mich geradewegs musternd. Ja, ich will es, erwiderte ich. Ich will es versuchen. Sie, überrascht, sagte leise: Sie Dummkopf.

57

Er errötete.

Sein Erröten war nicht das eines jungen Menschen, der von seiner ersten Liebe spricht. Es war das Erröten eines alt gewordenen Mannes, der sich vor der ersten und letzten Liebe seines Lebens verneigt. Es war ein durchlässiges Erröten. Es schimmerte durch seine schlaffe Haut und erleuchtete für Sekunden den gesamten Raum, der uns umgab. Ich errötete mit ihm. Ein Knistern. Ein Schleifen. Die Schallplatte war zu Ende. Einer rief: Noch einmal Billie Holiday! Zustimmendes Grummeln, man prostete einander über die Tische hinweg zu.

Ist es nicht merkwürdig? Mehr als in alles andere hatte ich mich in Kyōkos Dummkopf verliebt. In ihren geraden und freien Blick. Er durchschaute mich. Ich wollte von ihr durchschaut werden.

Aber es war schwierig. Sooft wir uns auch trafen, sie ging in eine andere Richtung. Ich glaube, sie wusste nicht wohin.

Sie ging einfach drauflos, nicht unbedingt in der Hoffnung, irgendwo anzukommen, sondern aus purer Freude daran, unterwegs zu sein. Ich bin eine Pflanze, sagte sie, ich brauche das Feuer, die Luft, die Erde, das Wasser. Ich verkümmere sonst. Und: Ist die Ehe nicht solch eine Verkümmerung? Das Feuer erlischt. Die Luft wird dünn. Die Erde trocknet aus. Das Wasser versiegt. Ich würde eingehen. Du auch. Sie warf die Haare über die Schultern. Lila Lavendel. Und wenn nicht, hielt ich dagegen. Wenn gerade der Alltag, unser Alltag, mein Versprechen an dich ist? Deine Zahnbürste neben der meinen. Du bist böse, weil ich vergessen habe, das Licht im Badezimmer auszumachen. Wir wählen Tapeten aus, die wir ein Jahr später grässlich finden. Du sagst, ich bekomme einen Bauch. Deine Schusseligkeit. Wieder hast du deinen Schirm irgendwo liegenlassen. Ich schnarche, du kannst nicht schlafen. Im Traum flüstere ich deinen Namen. Kyōko. Du bindest mir meine Krawatte. Winkst mir nach, wenn ich in die Arbeit fahre. Ich denke: Du bist eine wehende Fahne. Ich denke es mit einem stechenden Schmerz in der Brust. Um Himmels willen, reicht das nicht aus? Ist das nicht genug, um glücklich zu sein? Sie entwand sich: Gib mir Zeit. Ich werde darüber nachdenken.

58

Ich wartete. Einen Monat lang. Dann endlich kam ein Brief. Ihre Handschrift. Rund. Sie hatte gepresste Blumen beigelegt. Meine Antwort ist Ja, las ich: Ja, ich möchte tausende Schirme verlieren, solange du keinen Bauch bekommst. Ich schrieb zurück. Eckig. Lass uns Tapeten auswählen gehen.

Das ist sie. Meine Frau. Er hatte aus seiner Geldtasche ein Foto herausgezogen. Mein erster Gedanke war: Mutter. Mein zweiter: Sie will es gutmachen. Sie will weinen.

Unsere Hochzeit, erzählte er weiter, fand wenige Wochen danach in einem Shintō*-Schrein statt. Okada-san war da, einen schuldbewussten Zug um den Mund. Kein Zweifel mehr: Sie war ein unfreundlicher, höchst unfreundlicher Mensch. Es tut mir leid, wollte sie sagen. Stattdessen sagte sie, hartwerdendes Wachs: Möge Ihr Glück von Dauer sein! Kyōko dankte es ihr mit einem unschuldigen Lachen: Was ist von Dauer? Wir sind ein Feuerwerk. Erglühend, verglühend, sprühen wir Funken, die schon erloschen sind.

Schwarzer Kaffee. Ein Kännchen Milch hinein. Zwei Stangen Zucker. Langsames Rühren. Das Abtropfen des Löffels. Er legte ihn vorsichtig ab. Unser erster Morgen. Wie Kaffee, in den man Milch und Zucker schüttet. Ich wachte auf, Kyōko war nicht da. Ihr Polster eingedrückt, ein Haar mit der Spitze im Stoff. Das Laken noch warm, ich schob meine Hand unter die Decke. Aus der Küche kamen die Brühgeräusche der Kaffeemaschine, ein Hochzeitsgeschenk. Ich tapste barfuß durch den Flur. Bei dem Spalt in der Tür blieb ich stehen, sah nur so viel, wie durch ihn hindurch zu sehen war. Ihr Rücken, leicht gebeugt, über dem Herd. Brutzelnde Pfanne. Ihr Finger in einer Schüssel, kurz abgeschmeckt. Eine Prise Salz, etwas Pfeffer. Sie nieste. Im Niesen drehte sie sich um. Ihre Stimme, helles Glöckchen: Das Frühstück ist fertig. Auf der Theke stand, in blaues Tuch eingeschlagen, die Bentō-Box. Für dich. Sie legte einen Apfel dazu. Ein Stillleben.

Und auch das war eine Entscheidung.

Ich habe einmal sagen hören, dass der erste gemeinsame Morgen von bleibender Gültigkeit ist. Er ist eine Festlegung. Er legt fest, wer als erster aufsteht, wer Kaffee macht, wer das Frühstück zubereitet. Kyōko hätte genauso gut im

Bett bleiben können, sich wegdrehen und murren: Kauf dir unterwegs irgendwas. Das Entscheidende daran, das, was mir, im Türspalt stehend, den Atem nahm: Ich hätte sie darum nicht weniger geliebt.

59

Unsere Flitterwochen hatten wir verschoben. In der Firma wurde damals jede Hand gebraucht, und wie es so ist, wir sind nie dazu gekommen, sie nachzuholen. Die alten Reiseführer, Paris, Rom, London, verstaubt. Es war vor Kurzem, da fand ich sie ganz unten im Regal wieder. Eselsohren, hier und dort, Notizen. Kyōko hatte mit einem Filzstift all die Sehenswürdigkeiten markiert, die sie besichtigen wollte. Den Eiffelturm, das Kolosseum, die Tower Bridge. Lauter Herzen. Auf einer der Seiten stieß ich auf eine Zeichnung, ein Porträt von mir. Tetsu, rauchend, am Montmartre, stand darunter. Sie hatte mich gut getroffen. Den obersten Hemdknopf offen. Wind in den Haaren. Den Blick in die Ferne gerichtet. Mein jüngeres Ich. Es rief mich an. Dem hatte ich nichts entgegenzusetzen, klappte das Buch mit einem lauten Knall zu.

Wer hätte ich werden können.

Wer war ich geworden.

Wer werde ich sein, wenn sie herausfindet, wer ich bin.

Kyōko weiß es schon. Ich bin mir sicher. Sie wartet bloß ab, bis ich von alleine den Kopf vor ihr senke: Du hast Recht gehabt. Einen glücklichen Alltag gibt es nicht. Man muss jeden Morgen von Neuem darum ringen. Er hüstelte. Der Aschenbecher stand randvoll zwischen uns. Wir haben es nicht einmal bis nach Miyajima* geschafft.

60

Miyajima. Ein Stichwort. Er wiederholte es: Miyajima. Wie hieß sie doch gleich? War es Yuriko? Yukiho? Es liegt mir auf der Zunge. Yukiko? Ja? Das Schneekind also. Bitte erzähl mir von ihr. Ich hätte jetzt nichts dagegen, die Augen zu schließen und einfach nur zuzuhören. Es ist leichter zu sprechen, ohne angesehen zu werden. Leichter zu hören, ohne zu sehen. Er nahm einen tiefen Lungenzug. Dann lehnte er sich mit geschlossenen Augen zurück.

Die Miyajimas waren unsere Nachbarn, fing ich an. Ihr Haus dicht neben unserem. Als kleiner Junge, ich war acht Jahre alt, würde ich öfters bei ihnen läuten und nach Yukiko fragen. In der Nachbarschaft war sie das einzige Kind in meinem Alter, und obwohl meine Eltern die ihren nicht leiden mochten, es hieß, man wüsste nicht, woher sie kämen, nahmen sie hin, dass wir zwei, immerhin Kinder, dann und wann vor dem Tempel, ein paar Blöcke weiter, miteinander spielten. Zu viele Wörter in einem Satz. Ich weiß. Zu viele Wörter, die nicht sagen können, wie unbefangen wir waren, sie und ich, in einer Welt, die Unterscheidungen trifft. Wo ein Wort schon genügt, um den einen vom anderen zu trennen.

Ich würde läuten, sage ich. Yukikos Mutter würde den Kopf zur Tür herausstecken und krächzen: Sie kommt gleich. Die Tür würde wieder zu-, nach einigen Minuten wieder aufgehen. Ein muffiger Geruch, jedes Mal, wenn sie zu- und aufging, ein muffiger Geruch auch an Yukikos Kleidung. Sie trug eine Bluse, schmutzige Rüschen, einen Rock, der ihr zu groß war und den sie mit einer Paketschnur um die Hüften gebunden hatte. An einem ihrer Schuhe war der Schnürsenkel gerissen. Armes Mädchen, hörte ich die Leute, wenn wir an ihnen vorüberpreschten, schon übertönt von Yukikos Lachen: Heute wollen wir fliegen! Sie breitete ihre Arme aus und flog, vor mir her, bis zu der krummen Kiefer, um deren Stamm sie ihre Flügel schloss. Ein Ohr am Baum fiepte sie: Er ist gerade um einen Millimeter gewachsen.

61

Es waren bodenlose Tage. Ich meine, wirklich, wir flogen. Die Tempelgründe waren der Himmel, über den wir dahinschnellten. Wir pflückten Blumen und legten sie an unbekannten Gräbern nieder. Fingen Zikaden. Schmetterlinge. Libellen. Ließen sie frei, sobald wir sie gefangen hatten. Selber frei. Gossen uns, wenn es heiß war, Kübel voll Wasser über Arme und Beine. Von Mücken zerstochen. Jagten die Tempelkatze. Lauschten dem schläfrigen Mönchsgesang. Der war ein schwarzer Buckel. Manchmal drehte er sich nach uns um. Buddhas Kinder, rief er dann. Und warf einem jeden von uns ein Bonbon zu. So schmeckt Erleuchtung, so süß.

Zu Hause sprach ich nur selten über Yukiko. Wenn man mich nach ihr befragte, fühlte ich, es geschah nicht aus Interesse, sondern aus einer gewissen Beunruhigung heraus. Man muss doch wissen, sagte Mutter, mit wem man sich abgibt. Und: Umgang formt, je nachdem, ob er gut oder schlecht ist. Mit derlei Sprüchen ließ sie mich laufen, und noch im Laufen war es, als ob mich jemand grob angefasst hätte. Ob Mutters Tonfall oder die Art und Weise, wie sie den Mund verzog, wenn die Rede auf Miyajimas kam, etwas verriet mir, dass es gefährlich war, zu viel preiszugeben. Und so behielt ich für mich, dass an Yukikos Jacke zwei Knöpfe fehlten, und so behielt ich für mich, dass mir das völlig egal war.

Das Gefühl einer unbestimmten Bedrohung aber blieb. Ein kleiner Stachel in meiner Brust, er bohrte sich tiefer, und selbst der kleinste, allerkleinste Stachel reißt, wenn er tief genug sitzt, eine Wunde ins Fleisch. Man spürt ihn als einen Fremdkörper, der den eigenen, nach und nach, in die Knie zwingt.

62

Wie kommt es, dass du so anders bist, fragte ich einmal, wir saßen im Schatten der Kiefer. Yukikos Antwort, ein auswendig gelernter Satz: Weil ich von einem Stern gefallen bin.

Von einem Stern? Ich hielt den Atem an.

Sie nickte. Meine Eltern haben mich gefunden. In einer Schachtel am Fluss. Es hing ein Zettel um meinen Hals. Darauf stand, ich sei die Prinzessin der Leier, dazu bestimmt, fern der Heimat das Leben eines Erdenmenschen zu führen. Aber pst! Es ist ein Geheimnis. Wenn jemand davon erfährt, ich schwöre, ich löse mich in Sternenstaub auf.

Und deine Kleidung? Ich war neugierig geworden.

Sie kniff die Augen zusammen, dachte mit zusammengekniffenen Augen nach, riss sie auf und rief: Eine Verkleidung! Es ist alles eine Verkleidung! Damit ich mich nicht auflöse, trage ich die Kleidung einer Bettlerin. Die Enden der Paketschnur um den kleinen Finger gewickelt, setzte sie flüsternd hinzu: Manchmal habe ich Heimweh.

Ich sagte: Ich auch.

Heißt das, du glaubst mir?

Ja. Ich glaube dir.

Und versprichst du, mich nicht zu verraten?

Ich gebe dir mein Ehrenwort.

Ihre Hand in meiner.

Freunde. Für immer und ewig.

Mit einem Taschenmesser ritzten wir unsere Namen in die Rinde. Unser Freundschaftsbaum, verkündete Yukiko. Sie hatte einen roten Faden aus ihrer Rocktasche gezogen, band ihn um einen der Äste und verkündete weiter: Der rote Faden soll uns daran erinnern, dass wir aneinander gebunden sind. Da ich mich dir anvertraut habe, stehst du in meiner Schuld. Und da du versprochen hast, mich nicht zu verraten, stehe ich in deiner. Feierliches Einverständnis. Der Schatten wanderte weiter. Hoch über uns die Sonne, sie rieselte, spitze Nadeln, auf unsere Köpfe herab.

63

Wir wurden neun. Dann zehn. Mit jedem Jahr, das verstrich, schärfte sich meine Wahrnehmung. Oder eigentlich trübte sie sich. Mein Glaube an die Märchen der Kindheit begann zu wanken, in dem Maße, wie ich sie in Frage stellte, und plötzlich sah ich aus Augen, die prüfen, aus Augen, die zweifeln, aus Augen, die gar nichts mehr sehen. Wie die Löcher in Yukikos Strümpfen, so war mein Blick ausgefranst. Am Ende stimmte es, was meine Eltern sagten. Ich hatte keine Ahnung, mit wem ich mich abgab, und auch wenn es mir weiterhin völlig egal war, ob der Umgang, der mich formte, ein guter oder ein schlechter war, fühlte ich dennoch eine zunehmende Wut darüber, dass mir Yukiko die Wahrheit über sich und ihre Herkunft vorenthielt.

Woher kommst du, versuchte ich sie aus ihr herauszulocken. Wir saßen Rücken an Rücken und zupften Grashalme aus der Erde. Der rote Faden über uns war ausgebleicht. Sag mir, woher? Woher kommst du wirklich? Ihre Schultern drückten sachte gegen meine. Du weißt doch. Was weiß ich? Ich kann's dir nicht sagen. Aber warum nicht? Bebende Schulterblätter. Warum nicht? Knochiges Schweigen. Ich riss ein ganzes Grasbüschel aus der Erde und schleuderte es gegen die Tempelmauer. Bitte verzeih mir. Sie rückte ein Stück weit von mir ab. Kühler Spalt zwischen unseren Rücken, der Wind blies durch ihn hindurch. Gerne hätte ich ihr gesagt: Es ist gut. Ich verzeihe dir. Allein die Wut hielt mich zurück, ein wütender Schmerz.

64

Am Tag darauf, ich hatte bei Miyajimas geläutet, steckte ihre Mutter wie üblich den Kopf heraus und krächzte: Sie kommt gleich. Die Tür ging zu, es roch nach Moder und Schimmel. Von drinnen hörte ich zuerst lautes Rufen, dann leises, immer leiser werdendes Zischeln. Was soll das heißen, du willst ihn nicht sehen? Was soll dieser Unsinn, von wegen, du schämst dich? Das Zischeln brach ab. Im Haus war es nun still, nur ein einzelner Schrei durchbrach diese Stille: Ich kann nicht mehr. Danach war es wieder still. Die Tür ging auf, es roch nach Zerfall. Die Mutter steckte den Kopf heraus: Wenn du ein anderes Mal. Vielleicht morgen. Vielleicht übermorgen. Meine Tochter, die Prinzessin, hat ihre Launen.

Unzählig, all die anderen Male, die ich vor der Tür stand und läutete. Unzählig, all die anderen Male, die sie verschlossen blieb. Dahinter Yukiko, ein blinkender Stern. Sein heller Schein täuscht darüber hinweg, dass er längst erloschen ist. Die Augen der Nachbarn im Nacken, streckte ich mich vergeblich nach ihm aus. Ihr Gerede in den Ohren, musste ich einsehen, dass er Lichtjahre entfernt im Weltall trieb.

Bei Miyajimas gibt es Hunde und Katzen zu essen. Bei Miyajimas werden Ameisen gegrillt. Bei Miyajimas trinkt man aus der Regentonne. Bei Miyajimas --- man zerriss sich die Mäuler über sie. In unserer Siedlung waren sie der wunde Punkt, an dem sich die Angst vor dem Anderen entzündete. Diese Angst: Man könnte so werden wie sie. Auch meine Eltern waren von ihr durchdrungen. Ich merkte es an ihrer offenkundigen Zufriedenheit, wenn ich mit hängendem Kopf beim Abendessen saß. Freunde kommen und gehen, hieß es. Besser, du findest dich damit ab. Irgendwann wirst du zurückblicken und begreifen, dass alles seinen Sinn und seine Ordnung hat. Hohle Phrasen, deren Hohlheit mich aushöhlte. Ich hatte ihnen nichts entgegenzusetzen. Mit dem letzten Rest Widerstand schrieb ich einen Brief. Liebe Yukiko, schrieb ich, lass uns noch einmal bei unserer Kiefer treffen. Ich will dich sehen und verstehen. Abschied nehmen. Dir sagen, dass. Ich radierte so lange an dieser Stelle, bis das Papier dünn und knittrig geworden war.

65

To want a love that can't be true. Heftiges Zucken unter seinen Lidern. Ich hielt inne. Das Lied drehte sich knacksend um sich selbst. Am Nebentisch bestellte einer mit tonloser Stimme ein Whiskey Soda. Jemand hob den Vorhang hoch. Klatschender Regen. Der Vorhang fiel schwer über das Fenster zurück. Das Café, vom Licht des Tages entzaubert, war wieder im Zauber seiner Dunkelheit. Unfassbar, dass ich geglaubt hatte, drinnen wäre kein Platz zwischen den Menschen. Ein jeder saß versunken in seinem Sessel und hing seinen Gedanken nach. Ist sie gekommen, fragte er, die Augen noch immer geschlossen. Im dämmrigen

Qualm, der uns einhüllte, war seine Krawatte nicht länger rot und grau. Sie war grau, bloß grau.

Ob sie gekommen ist, wiederholte er. Und als ich nichts erwiderte: Aber sie muss doch gekommen sein. Nicht wahr? Sie ist gekommen! Er sagte es mit einer Dringlichkeit, als ob nicht nur ich, sondern auch er, als ob wir beide auf ihr Kommen gewartet hätten. Als ob wir beide davon abhingen, dass sie käme.

Ja, sagte ich schließlich. Yukiko ist gekommen.

Also doch! Er atmete auf.

Aber…

…was?

Sie war eine Fremde geworden. Nach knapp vier Monaten erkannte ich sie kaum wieder. Sie trug ihre Schuluniform, sah aus wie ein gewöhnliches Mädchen, wippender Pferdeschwanz. Verlegen blickte sie, auf mich zukommend, zur Seite. Trat vor mich hin, den Kopf gesenkt. Erst da erkannte ich sie an ihrem Geruch. Solche Befangenheit. Ich hatte Lust, ihr weh zu tun. Packte sie, elfjährige Hände, an den Schultern. Schüttelte sie. Schlug ihr, die es wortlos hinnahm, ins Gesicht. Warum schaust du mich nicht an? Ich hob ihr Kinn in die Höhe. Du sollst mich anschauen. Wenigstens das. Ich hasse dich. Hörst du? Ich hasse dich dafür, dass du mich zwingst, zu den anderen zu gehören. Zu jenen, die sagen. Endlich schaute sie mich an: Was sie sagen, ist wahr. Unsere Augen verhakt. Nah. Näher. Ich küsste sie. Fern. Ferner. Etwas war zu Ende gegangen. Ich stieß sie fort, und sie drehte sich weg. Ging, ein Vogel ohne Flügel, über den sandigen Vorplatz. Mit dir bin ich fertig, schrie ich. Endgültig fertig. Aber da war sie schon, weiße Socken, hinter dem Gebüsch verschwunden. Aus dem Tempel kam dröhnend das Herzsutra*.

66

Wie die Bitterkeit beschreiben? Ich war ein Glas, ein zerbrochenes, und der Raum, den ich einst umfasst hatte, war nun eins mit dem Raum rundherum. Öde Weite, in der ich mich verlief, unter den Füßen scharfe Messer. Mit jedem Schritt wurde es unwahrscheinlicher, irgendwann einmal irgendwo anzukommen.

Eine Zeitlang vermied ich es, an Miyajimas vorüberzugehen. Statt nach rechts ging ich nach links, statt gerade ging ich Umwege, und wenn es sich nicht vermeiden ließ, wechselte ich die Straßenseite. Ich zitterte bei dem Gedanken, Yukiko könnte am Fenster stehen oder sie könnte, mir entgegen, die Straße hochkommen. Der Gedanke machte mich eng und klein. Sie könnte mit dem Finger auf mich zeigen, sie könnte mich an meine Schuld erinnern. Beinahe wünschte ich es mir. So eng und klein war ich, dass ich mir beinahe wünschte, sie wäre ein schlechterer Freund als ich.

Sie war es aber nicht.

Bald genug hatte ich vergessen, dass wir jemals Freunde gewesen waren, und so wie ich es vergaß, verlor das, was geschehen war, an Bedeutung. Meine Vergesslichkeit wusch den Geschmack ihrer Lippen von den meinen. Ich erinnerte mich nur mehr sehr schwach an den Moment, in dem sie einander berührt hatten. Ob es überhaupt ein Kuss gewesen war? Mir schien, es war eher ein Streifen gewesen. Aber selbst dieses vergaß ich.

67

Ich muss dazu sagen: Auszuweichen war eine einfache Übung.

Obwohl Miyajimas unsere direkten Nachbarn waren, vergingen Jahre, ohne dass ich einem von ihnen begegnete. Der Vater, munkelte man, sei aufgrund einer Krankheit ans Bett gebunden, und die Mutter gehe nächtlichen Beschäftigungen nach. Was auch immer man damit meinte, jedenfalls sah man sie höchst selten und auch dann nur auf eiligen Beinen, wirres Haar in der Stirn, mit Säcken und Beuteln beladen. Mal munkelte man, sie schleppe verbotene Waren mit sich herum, mal wieder, sie sei verrückt, und dabei blieb es: Sie war verrückt. Auch wenn niemand behaupten konnte, sie gesehen zu haben, so konnte man doch wenigstens behaupten, dass ihr ihre Verrücktheit ins Gesicht geschrieben stand. So etwas sieht man, war der einmütige Schluss, so etwas sieht man, ohne hinzuschauen. Allein die Tatsache, dass Yukiko, das arme Mädchen, wie man sie weiterhin nannte, bei einem Mathematikwettbewerb den ersten Platz belegt hatte, wurde mit einiger Anerkennung bedacht, aber: Wer wusste schon, ob das stimmte? Wer wusste, ob das nicht eine erfundene Geschichte war? Fest stand: Mit Miyajimas hatte man besser nichts zu tun. Und auch für mich stand das fest, bis das Schicksal, damals sagte ich: ein dummer Zufall, dazu führte, dass unsere Wege sich ein letztes Mal kreuzten.

Ich war sechzehn. Ein neues Schuljahr hatte begonnen. In der Klasse wurden die Namen der Schüler verlesen. Ich saß gelangweilt, einen abgekauten Bleistift in der Hand drehend. Um mich herum dreißig andere, denen es ähnlich ging wie mir. Die Ferien, die keine gewesen waren, waren wieder einmal zu Ende gegangen, und man hatte die dunkle Vorahnung, dass es immer so sein würde. Dass das Leben, das keines war, immerzu seinem Ende entgegenrauschte.

Fujiwara Rie!

Hier!

Hayashi Daiichi!

Hier!

Kugimoto Sakuya!
Hier!
Miyajima Yukiko!
Hier!
Der Bleistift brach. Ich schaute nicht auf. Sie war hier! hier! hier!
Ōyama Haruki!
Hier!
Taguchi Hiro!
Hier!
Roter Faden, Schicksalsfaden. Für immer und ewig.
Ueda Sakiko!
Hier!
Yamamoto Aiko!
Hier!
Sie ist ein Rücken. Ein schmaler Rücken. Das ist alles, was sie ist. Manchmal habe ich Heimweh. Schmetterlinge, gelb, blau, grün. Der Staub ihrer Flügel. Schwarzes Mönchsgewand. Das Herzsutra. Monoton. Ich hasse dich. Hörst du? Es ist mir egal. Freunde kommen und gehen. Kannst du nicht gehen? Prinzessin. Ich stehe in deiner Schuld. Pst, pst. Öde Weite. Der Himmel stürzt ein. Ich möchte dir sagen. Mit dir bin ich fertig.
Die Spitze des Bleistifts in meiner Handfläche.
Ein vorübergegangener Schmerz.

68

Wenn es mir gelungen war, den Menschen, die nebenan lebten, auf Jahre hin auszuweichen, so würde es mir, das nahm ich mir an jenem ersten Tag vor, auch in einem Klassenzimmer gelingen, einen weiten Bogen um den Tisch drei Reihen vor mir zu machen. Immerhin gab es Platz genug, um einander nicht zu begegnen, und ich sagte es schon: Ich hatte Übung darin. Nichts fiel mir leichter, als auf die umständlichste Art und Weise an jemandem vorbeizulaufen. Was ich nicht wissen konnte, war bloß eines, nämlich, dass ich diese meine Fertigkeit schon am zweiten Tag unter Beweis stellen musste.

Keine Ahnung, wer den allerersten Stein ins Rollen brachte. Es fing an mit einem harmlos dahingesagten: Die stinkt. Ich hörte es. Klar und deutlich: Die stinkt. Lautes Gelächter, auch das hörte ich. Dann stummer Fingerzeig, man zog die Nasen kraus. Yukikos Stimme, ein Flüstern: Bitte nicht! Wieder Gelächter: Die stinkt, als ob sie einen Fisch unterm Rock hätte. Jemand fasste nach ihr. Ich sah es. Klar und deutlich: Sie schreckte zurück. Was schaust du, fuhr mir einer ins Gesicht. Ich schaute weg. Ich hatte nichts gesehen. Und so sah ich auch am dritten und am vierten, auch am fünften und am sechsten, auch an all den Tagen, die ihm nachfolgten, nichts als Nichts.

Dieser Gestank, rief es aus aufgerissenen Mündern, wer stinkt, bezahlt fünftausend Yen*. Was heißt, du hast sie nicht? Morgen bezahlst du. Verdammt, du stinkst wie eine Sau. Oink-oink. Ein toter Hamster riecht besser als du. Hey, Mathematikprinzessin! Wie dividiert man Ochse durch Kuh? Mit großer Geschwindigkeit wuchs sich der anfangs bloß harmlos dahingesagte Satz zu einem ganzen Textkörper aus.

Yukiko hätte einen Freund gebraucht.

Einen, der für sie spricht.

Ich aber.

Ich hatte keinen Mund. Weder beteiligte ich mich am Gerede der anderen, noch hielt ich etwas dagegen. Es galt draußen zu bleiben, wenn drinnen die Welt zerfiel. An jedem Morgen, wenn Yukiko in die Klasse kam, stand ihr Tisch verkehrt herum an einer anderen Stelle. Auf der

Tafel die Karikatur eines grunzenden Schweins. Es hatte ein Bein angehoben. Darunter ihr Name. Sie wischte ihn Strich für Strich fort. Aus Yukiko wurde Yuki. Aus Yuki wurde nichts. Den feuchten Schwamm in der Hand, drehte sie sich schließlich um, suchender Blick, er fand mich im Abseits. In ihm eine Anmut, der Glanz von einst: Ich schwöre, ich löse mich in Sternenstaub auf. Genau so sah sie mich an. Als ob sie mir sagen wollte: Ich löse mich auf.

69

Hätte ich. Wäre ich. Es gibt nichts Trostloseres als den Konjunktiv der Vergangenheit. Die Möglichkeiten, die er andeutet, sind keine, die sich erfüllen werden, und trotzdem oder deshalb bestimmen sie die eingetretene Wirklichkeit. Hätte ich damals irgendwie eingegriffen, wäre ich damals dazu in der Lage gewesen, ich säße heute nicht hier.

Ich überließ es Yukiko, sich zu wehren. Doch sie tat nicht viel mehr, als einfach nur stillzustehen. Ein magischer Kreidekreis, er wurde enger und enger. Sie glich einem Tier, das sich tot gestellt hat. Ein Weilchen ging es gut. Dann aber hatten die Angreifer wieder die Oberhand gewonnen und sie ließen nicht ab, ehe sie nicht ihre schwächsten Stellen erschnüffelt hatten. Eine unvorsichtige Bewegung, und sie wussten, dorthinein mussten sie tiefer bohren. Das Spiel war kein Spiel mehr, es ging um Leben und Tod. Auf dem Weg nach Hause sah ich nicht, wie sie gegen eine Wand gedrängt wurde, im dunklen Durchgang sah ich nicht, wie man ihr mit Fäusten drohte, auf dem leeren Parkplatz sah ich nicht, wie ihr der Rock über die Knie gerutscht war. Ich ging weiter, ein stummer Zeuge, so hatte ich es gelernt. Würde ich eingreifen, damals war das noch ein Konjunktiv der Gegenwart, eine durchaus mögliche Möglichkeit, ich wäre der Nächste, der drankäme und das mit ziemlicher Sicherheit. Lieber nichts auf mich kommen lassen. Lieber da abbiegen, bevor jemand mich sieht.

70

Nun also wissen Sie.

Ja.

Und begreifen Sie es jetzt? Dass ich …

… du hast genug gesagt.

Nein, nicht genug. Es geht noch weiter.

Eine glühende Zigarettenspitze.

Heute machen Sie Überstunden.

Er hatte die Augen geöffnet und schien nach einem Punkt zu suchen, an dem er sie festmachen konnte. Blinzelnd blickte er zuerst auf mich, dann auf die Bar, wieder auf mich, dann auf den Boden. Knarrende Dielen, ein Betrunkener verirrte sich auf dem Weg zur Toilette. Hilflos blieb er zwischen den Tischen stehen, man hätte ihn am Arm nehmen müssen. So aber stand er nur da, ein Mahnmal ohne Sinn und Zweck. Es ist zu schade, lallte er, eine Trompete fiel ihm ins Wort.

Nein, nicht genug, sagte ich noch einmal. Aber meine Stimme klang rau. Vielleicht, dachte ich, sollte ich uns beiden das Ende ersparen. Nebenan sprach man über Fische und ob Fische wohl jemals schliefen. Vielleicht, dachte ich wieder, sollte ich es dabei bewenden lassen. Ein alter Spruch fiel mir ein: Es ist schwierig, jemanden aufzuwecken, der nicht schläft. Immer noch stand der Betrunkene mitten im Raum. Der Kellner lief um ihn herum, als ob er zur Einrichtung gehörte. Tatsächlich stand er nun ganz still, man hätte meinen können, er sei im Stehen eingeschlafen. Erst als ihn einer anstieß, schwankte er leicht hin und her, nur um gleich darauf wieder reglos zu stehen. Es dauerte Minuten, ehe er sich endlich in Bewegung setzte. Statt zur Toilette ging er jedoch an seinen Platz zurück und bestellte noch einen Schnaps.

Ich muss es zu Ende bringen, dachte ich, das ist das Mindeste.

Es geht noch weiter, hörte ich mich sagen.

71

Man fand sie, die Glieder verrenkt, auf dem Schulhof. Sie hatte sich aus dem fünften Stockwerk gestürzt. Man legte Blumen nieder, dort, wo sie hingestürzt war. Welkende Rosen, Nelken, Chrysanthemen. Auf einem der beigelegten Zettel stand: Wir trauern und schämen uns. Liebe Yukiko. Ich brachte keine Zeile zu Papier. Jeden Augenblick, dachte ich, müsste sie hinterm Gebüsch auftauchen und zurücklaufen, wippender Pferdeschwanz, mit dem Rücken voran. Zurück. Bis vor mich hin. Und noch weiter zurück. Zwischen den Gräbern spazieren. Ein weißes Blatt Papier in den Händen, rannte ich los. Vielleicht, vielleicht, es pochte hinter meinen Schläfen, würde sie dort, beim Tempel, auf mich warten. Und wir würden im Schatten der krummen Kiefer sitzen und nicht zulassen, dass der Wind zwischen uns hindurchführe.

Rote Fäden.

Atemlos blieb ich stehen.

Der Baum war über und über mit roten Fäden behängt. Unser Freundschaftsbaum, an jedem Ast hingen fünf Fäden, für jedes dahingegangene Jahr ein Faden. Ich keuchte. Wie war sie so hoch geklettert? Wie hatte sie die buschige Krone erreicht? Unsere Namen waren mit der Rinde emporgewachsen, der Sonne entgegen. Wie hatte sie wissen können, dass ich hierher kommen würde? Endlich sah und verstand ich sie. Und doch nicht ganz. Wer solch ein Kunstwerk erschafft, will bis zuletzt ein Geheimnis bewahren. Das Miauen der Tempelkatze. War es immer noch dieselbe? Ich nahm sie hoch und ließ zu, dass sie die Krallen nach mir ausstreckte. Warmes Blut. Es gibt mich noch. Liebe Yukiko. Ich schrieb es in meine Armbeuge. Ich möchte dir sagen: Ich mag dich.

72

Was blieb, war eine Lücke in der Siedlung. Das Haus ihrer Eltern wurde wenig später geräumt. Vom Fenster meines Zimmers aus konnte ich beobachten, wie man mit Masken um Nase und Mund allerlei Unrat, Gerümpel und Abfall nach draußen schaffte. Kaputte Fahrräder, zuhauf. Zerbeulte Töpfe. Eine Wagenladung voller Zeitschriften und Magazine. Radios. Polster. Matratzen. Von Mäusen zerfressen. Drei Kisten Lampenschirme. Und Nägel. Und Schrauben. Es hatte sich herausgestellt, dass Miyajimas seit langem vom Müll der Nachbarn gelebt hatten. Eine Schande, sagte Mutter. Sie stand dicht hinter mir. Was die gesammelt haben! Schau, unser Wecker, da ist er doch! Sie sagte: Unser Wecker. Als ob er immer noch uns gehörte. Als ob er für immer der unsere wäre. Sie sagte es nebenbei. In Gedanken schon wieder woanders. Ich begriff, dass es keinen Sinn hatte, sie daran zu erinnern, dass sie den Wecker vor gut einem Jahr weggeworfen hatte, weil ihr sein Läuten zu aufdringlich gewesen war. Soll jemand anderer von ihm geweckt werden! Mit diesen Worten hatte sie ihn in den Mülleimer geworfen.

Eine letzte Fuhre Plastik. Ich ging hinaus. Leere Konservenbüchsen. Batterien. Ein zersprungener Spiegel, in dem mein Gesicht eine Fratze war, hässlich verzerrt. Ich griff in einen der Säcke, die man vor dem Eingang abgestellt hatte, und zog einen Stein heraus. In ihm eingeschlossen ein Insekt. Ich steckte ihn in die Hosentasche und tastete darin seine Oberfläche ab. Sie war kühl und glatt, ein Handschmeichler. Hinter seiner Maske stöhnte einer der Arbeiter: Für heute ist es genug.

73

Das Haus wurde abgerissen. Seine Substanz, hieß es, sei wertlos und es lohne sich nicht, sie zu erhalten. Auf dem Weg in die Schule sah ich, wie man rundherum die Straße absperrte, und auf dem Weg nach Hause sah ich, wie ein Bagger die letzte Wand umkippte. Unter meinen Füßen bebte der Boden. Tage darauf war dort, wo ich einst gestanden und geläutet hatte, eine planierte Fläche, und wieder Tage darauf hatte man einen Neubau errichtet. Eine Familie zog ein: Vater, Mutter und Kind. Gute Leute, sagte man, ein bisschen zu schick vielleicht. Wie sieht das aus? Unser alter Nissan neben ihrem neuen. Von Miyajimas war kaum mehr die Rede. Nach allem, was man wusste, und man wusste nicht viel, wollte nicht zu viel wissen, waren sie hochverschuldet in eines der unteren Stadtviertel gezogen, und es hätte niemanden gewundert, sie in einem der Parks in S., unter einer blauen Zeltplane zu sichten. Ja, man hätte das sogar gerne sagen können, dass man sie dort gesehen hätte. Es wäre ein wohltuender Grusel gewesen. Sagen zu können: Die sind ganz, ganz unten. Und weil man sich diesen Grusel, wenigstens einen Hauch davon, nicht entgehen lassen wollte, sagte man, ohne es wirklich zu wissen: Keine Frage. Auch wenn sie es jetzt noch nicht sind. Irgendwann werden sie ganz, ganz unten sein. Erst als Fujitas, einen Block weiter, mit Spielsucht und Eheproblemen aufwarteten, hörte man auf, über Miyajimas zu sprechen.

Und weiter?

Nichts weiter. Ich meine, es war eben so, wie es war, und ich hatte mich damit abzufinden. Ich wurde siebzehn. Dann achtzehn. Der Druck wuchs. Ich würde ihm standhalten. Die Zähne zusammenbeißen und denken: Das ist Erwachsenwerden. Die Dinge, so wie sie sind, zu überstehen und sie selbst dann, wenn man sich nicht von ihnen erholt, für überstanden zu halten. Zu vergessen. Auch das. Wieder und wieder zu vergessen. Wenn Kumamoto nicht gewesen wäre, hätte ich es geschafft. Er aber hatte Yukikos Augen. Denselben Blick: Ich löse mich auf.

Es ist –

ich sprach den Satz für ihn zu Ende

– eine Entscheidung.

Nein. Er schüttelte den Kopf. Zumindest keine, die du aus einer Wahl heraus getroffen hast. Ich sehe das jetzt. In diesem Café. Er zeigte nach rechts und nach links. Wir sind unfrei, wir alle. Bloß dass uns das nicht aus der Verantwortung nimmt. Dass wir trotz unserer Unfreiheit beständig Entscheidungen treffen, für deren Folgen wir haften müssen. Und dass wir daher mit jeder Entscheidung, die wir treffen, noch unfreier werden.

Der Gedanke, obwohl er schwer war, machte es uns leicht, uns aus den Sesseln und hinaus auf die Straße zu bewegen. Der Regen hatte nachgelassen und war nur mehr ein Niesel.

Morgen wieder?, fragte ich.

Auf jeden Fall.

74

In der Stadt sieht man keine Sterne. Ihre Aura, zu hell, erleuchtet den Himmel, nicht umgekehrt, und statt der Leier sieht man höchstens ein Flugzeug, das gefährlich nah über den Häusern dahin gleitet.

Was hatte ich preisgegeben?

Ich war nun nicht mehr nur ein Bild, ich war eines, das ein anderes in sich barg. Das Bild eines Mädchens. Ein Ohr am Stamm. Ich hatte den Tempelmönch darum gebeten, die roten Fäden nicht zu entfernen. Er war einverstanden gewesen, ohne meine Geschichte zu kennen. Wirklich sonderbar. Das war alles, was er dazu gesagt hatte. Hin und wieder war ich vorbeigekommen und hatte unter dem Baum gesessen. Mit der Zeit aber hatten die Fäden an Farbe verloren und waren, bis auf zwei, von den Ästen abgefallen. Wirklich sonderbar, hatte der Mönch in genau demselben Tonfall wiederholt, und als auch die letzten zwei abgefallen waren: Das Leben.

Die krumme Kiefer gibt es noch. Jene Nacht verbrachte ich, den Kragen hochgeschlagen, unter ihrem Dach. Es machte mir nichts aus, dass es von den Nadeln auf mich heruntertropfte. Vielmehr empfand ich es als tröstlich, derart ausgesetzt zu sein, mit klammen Fingern, die dunklen Stunden auszusitzen. Die Eltern würden wohl auf mich warten, auf das Geräusch meiner Schritte im Flur, sich vielleicht sorgen, wo ich sei, vielleicht sogar den Hörer von der Gabel nehmen und 110* wählen, sich plötzlich schämen und wieder auflegen. Denn wie sollte man ein Gespenst zur Anzeige bringen? Wie sollte man erklären, dass einer verschwunden ist, der ohnehin schon verschwunden war? Wie beschreiben, dass man ihn vermisst, obwohl er schon lange davor abgängig gewesen war? Und doch wünschte ich mir, sobald der Morgen graute, nichts anderes als eben das:

Dass man mich suchte und fände. Mich an den Schultern packte, mir ins Gesicht schlüge und fragte: Wie ist es dazu gekommen, dass wir uns dermaßen verfehlten? Mich dann in den Arm nähme und sagte: Lass uns noch einmal von vorne beginnen.

75

Dem Einfall der Sonne nach zu schließen, war es kurz nach acht Uhr. Die Wolken hatten sich über Nacht gegen Westen verzogen. Erst jetzt fiel mir auf, dass ich meinen Schirm im Café vergessen hatte. Er war der Beweis für den gestrigen Tag. Hätte ich ihn nicht liegengelassen, ich wäre in Zweifel geraten, ob nicht alles ein Traum gewesen war. So aber wusste ich: Das trockene Gefühl im Mund kam vom vielen Erzählen, der abgestandene Geruch in den Haaren vom vielen Rauch. Beides hing miteinander zusammen. So wie ich mit ihm. Als ich aufstand und mir die feuchte Erde von den Beinen klopfte, dachte ich: Und wenn er heute vor den Zug spränge. Ich hätte die Gewissheit, er würde mich mit sich, auf summenden Gleisen, in den Tod hineinschleifen. Die Streifen seiner Krawatte quer vor den Augen, machte ich mich auf den Weg.

Guten Morgen.

Er überholte mich.

Schlecht geschlafen?

Ich folgte ihm nach. Unsere Schritte im Gleichklang. Ab und an blieb er stehen. Suchte etwas. Fand es. Ging, eine Zigarette im Mundwinkel, langsamer weiter. Blieb wieder stehen. Ging weiter. So langsam, dass wir irgendwann nicht mehr gingen, sondern, zwei Flaneure inmitten von laufenden Leuten, müßig dahinschlenderten. Im Glas eines Schaufensters sah ich unsere Gestalten, aus dem Takt der Welt gefallen. Nach dem Regen ist das Licht stets am klarsten. Er sprach über die Schulter zu mir hin. Da war der Park. Wir erreichten unsere Bank. Schön, wieder hier zu sein. Er streckte die Beine aus.

76

Glaubst du, es gibt ein Leben danach?

Die Frage kam hastig.

Ich meine: Yukiko. Gestern Nacht, ich lag schon im Bett, habe ich mich gefragt, ob sie wohl wiedergeboren wurde. Sagen wir, in Mexiko. Sie wäre jetzt zwei, drei Jahre alt. Sie spricht schon. Spanisch. Sie lernt schnell. Kaum sagt man ihr ein Wort, plappert sie es nach. Sie hat zwei Brüder. Jorge und Fernando. Man kann sie beim Spielen sehen. Die beiden Älteren haben acht, dass ihre Schwester keine Bauklötze verschluckt. Auch sie Wiedergeborene. Ich meine, die Vorstellung, Yukiko könnte jetzt, mit all dem Wissen, das bereits in ihr ist, in einem Haus in Puebla, in einem Zimmer, in einem Körper, der Isabella heißt, die Vorstellung, sie könnte, während sie Klotz auf Klotz übereinanderschichtet, kurz daraufkommen, dass sie schon einmal hier gewesen ist. Sie kennt die Sonne, die durch die Jalousien herein auf ihre spielenden Hände fällt. Sie kennt das Rufen ihrer Mutter. Es ist ein Wiedererkennen. Mit dieser Vorstellung bin ich eingeschlafen. Dass wir, wiedergeboren, hier sind, um etwas wiederzuerkennen. Eine betörende Vorstellung. Glaubst du nicht? Du könntest ihr begegnen. Eines Tages. In Mexiko. Oder sonstwo. In einem aus der Zeit gewürfelten Moment berührt ihr Ärmel den deinen und es wäre zu schade, diesen einen Moment zu versäumen. Ein Verlust, durch nichts auszugleichen. Und weiter noch: Mit uns könnte es dasselbe sein. Ich meine. Heute am Bahnsteig, umgeben von so vielen Menschen, habe ich mich gefragt, ob mir nicht einer von ihnen fehlen würde, wenn er nicht da wäre, und dann: Ob nicht auch ich ihm fehlen würde, wenn ich nicht da wäre. Ob wir nicht alle irgendwie da sind, um einander zu berühren. Als schließlich der Zug einfuhr und ich mein Spiegelbild in seinen Fenstern und in den dahinter schlafenden Gesichtern vorbeirollen sah, war das keine Frage, vielmehr eine Einsicht: Wir müssen, ein jeder von uns, miteinander verwandt sein.

77

Wenn ich es mir aussuchen dürfte. Er malte mit der Schuhspitze einen Kreis in den Kies. Es gäbe zwei Menschen, denen ich gerne wiederbegegnen würde. Erlaubst du? Ein Räuspern, er kratzte sich am Kopf. Zwei Menschen, von denen ich gerne im Vorübergehen gestreift werden würde.

Der eine ist mein Lehrer. Watanabe-Sensei*. Ich nannte ihn schlicht den Lehrer. Als ich zehn Jahre alt war, hatten es sich meine Eltern in den Kopf gesetzt, dass ich Klavierstunden nehmen sollte. Sie hofften, in mir wäre ein verborgenes Talent. In Hemd und Hose gesteckt und eine lächerliche, quälend lächerliche Krawatte um den Hals, ich trug schon damals solche Sachen, schickten sie mich voller Hoffnung, ich würde als Genie wiederkehren, hinauf zum Lehrer. Ich sage hinauf. Denn das Haus des Lehrers stand etwas abseits auf einem Hügel, und man musste eine ungepflasterte Straße hochlaufen, durch einen dichten Wald. Der Lehrer lebte dort, über der Stadt und ihrem Dunst, mit seiner lungenkranken Frau. Die reinere Luft, hieß es unten bei den Leuten, sollte ihr guttun. Es war ein großes Haus. Wenn man es betrat, hatte man den Eindruck, es würde einen einatmen. Das Licht fiel je nach Tageszeit einmal durch dieses, dann wieder durch jenes Fenster. Zu jeder Stunde war das Haus des Lehrers von Licht durchflutet.

Aber da war noch etwas. Ein leicht säuerlicher Geruch. Wie in einem Krankenhaus. Ich erinnere mich. Der Lehrer lachte: So riecht es, wenn jemand stirbt. Er deutete auf eine Tür, die halb offen stand. Meine Frau, dröhnendes Lachen, sie liegt im Sterben. Es ging mir durch Mark und Bein. Zeit ist kostbar, lachte er weiter. Nun lass uns mal sehen, was du kannst. Ich klimperte lustlos die Tonleitern rauf und runter. Der Lehrer, den Blick streng auf meine Hände gerichtet: Was ist das? Du spielst ja, als ob du kein Leben in dir hättest! Selbst ein Toter hat mehr Gefühl als du! Wieder lachte er. Ich dachte: Wie herzlos. Dieser Mann ist aus Stein. Wie ist es möglich, dass er lacht, während dort seine Frau. Spricht von Gefühl und hat selbst nicht das geringste. Ich dachte es mit einer natürlichen, ja selbstverständlichen, sich selbst nicht in Frage stellenden Verachtung.

78

Einmal, es hatte geläutet, der Lehrer war zum Eingang gelaufen, hatte ich, am Klavier sitzend, eine Fliege totgeklatscht. Ich war gerade dabei, sie zu zerlegen, die Beinchen zuerst, als er, zurückgekommen, auf einmal hinter mir, einen Schrei losließ, so peinvoll, ich meinte, er hätte sich grob verletzt. Er stieß mich vom Hocker hinunter. Klappte den Klavierdeckel zu. Schrie: Was fällt dir ein, dir Knirps, in meinem Haus ein unschuldiges Tier umzubringen. Steif wie ein Stock stand ich vor ihm. Erschrocken, da sein Gesicht zerrissen war. Ich fühlte eine aufkeimende Wut gegen ihn, der, immer noch schreiend, auf und ab lief, mir Vorhaltungen machte wegen einer Lappalie. Er rang nach Luft, ich nutzte die Pause. Mit vor Wut zitternden Lippen sagte ich: Sie sind es doch, der lacht, wenn Ihre Frau drüben hustet. Unheimliche Stille. Er war mitten in seiner Bewegung eingefroren. Schaute mich an, endlich, nach, wie mir schien, einer Ewigkeit. Löste sich, endlich, aus einer, wie mir schien, ewigen Starre. Ging einen Schritt auf mich zu. Hielt inne. Sagte leise, sehr leise: Genau deshalb wird aus dir kein Klavierspieler werden. Du hörst nichts. Du hast keine Ohren. Du hörst nur das, was oben hörbar, nicht das, was darunter liegt. Pack dich zusammen. Der Unterricht ist vorbei. Sag deinen Eltern, du bist der unbegabteste Schüler, den ich je hatte. Es ist eine Verschwendung, dir beibringen zu wollen, was Musik ist. Wer in einem Lachen nichts anderes als ein Lachen hört, der ist taub, ich sage, tauber noch als taub. Ich lache für sie. Hörst du? Er lachte. Ich lache, weil ich weiß, sie liebt es, wenn ich lache. Ich lege Traurigkeit hinein. Hörst du? Er lachte erneut. Sie soll wissen, ich bin traurig, dass sie geht. Ich lege Dankbarkeit hinein. Hörst du? Er kam aus dem Lachen nicht heraus. Ich lege alles hinein, was ich für sie fühle. Sie weiß das. Sie hört es. Mein Lachen soll sie begleiten. Er war lachend zu Boden gesunken. Ich, zu ihm hin, schon gar nicht mehr wütend. Und da sah ich, er weinte. Seine Wangen von Tränen überströmt, weinte und lachte er, beides zugleich.

79

Der Lehrer hat Recht behalten. Aus mir wurde kein Pianist. Dennoch blieb ich, ein Jahr lang, sein Schüler. Die meisten Stunden verbrachte ich damit, ihm zuzuhören. Mozart. Bach. Schumann. Chopin. Dazwischen würde ich beschreiben müssen, was und wie ich es gehört hatte. Ich entwickelte, wie er sagte, ein fühlendes Ohr. Sein Lieblingswort: Kanjou*. Er verwendete es in nahezu jedem Satz.

Kurz vor dem Tod seiner Frau, es ging ihr hörbar schlecht, bat ich ihn, mir einen Walzer vorzuspielen, doch gerade, als er damit anfangen wollte, kam aus dem Zimmer, hinter der halb offenen Tür, ein schrecklich aufgelöster, in seiner Aufgelöstheit kaum mehr menschlicher Husten. Der Lehrer, mit eingefallenen Schultern, legte die Finger auf die Tasten und begann langsam, im Rhythmus des Hustens, zu spielen. Er überspielte ihn nicht. Er spielte mit ihm. Er spielte so, wie seine Frau hustete. Es gibt keine Aufnahme davon, leider. Obwohl. Ich weiß nicht, ob sich solches Spiel überhaupt aufnehmen lässt. Nachdem er fertig war, sagte er: Wenn es irgendetwas für dich zu lernen gibt, dann nur, dass du dich nicht schämen sollst. Schäm dich nur ja nicht dafür, ein Mensch mit Gefühlen zu sein. Egal, was es ist, fühl es innig und tief. Fühl es noch ein bisschen inniger, fühl es noch ein bisschen tiefer. Fühl es für dich. Fühl es für den anderen. Und dann: Lass es gehen.

Seine Frau habe ich erst bei der Totenfeier gesehen. Im weißen Kimono, den Kopf gegen Norden gebettet, lag sie in einem mit duftenden Lilien bedeckten Sarg. Er davor. Weder lachend noch weinend. In der hintersten Reihe flüsterte einer: Wie herzlos. Dieser Mann ist aus Stein. Ich jedoch wusste es besser: In seiner unbewegten Miene, nur bewegt von seinem Atem, las ich, wie er in seine eigene

Stille hinein hörte und sich dort mit der Stille seiner dahingegangenen Frau verband. Es war, als ob er ihr nachlauschte, ihrem sich leise entfernenden Schritt.

80

Haben Sie den Lehrer danach wiedergesehen? Ich unterdrückte das Zittern in meiner Stimme.

Ja, ich habe ihn noch einige Male besucht. Meine Eltern freilich waren enttäuscht, dass er mir nicht mehr beigebracht hatte, als zuzuhören. Sie fanden, er hätte sie um mein verborgenes Talent betrogen, und bereuten es noch Jahre später, mich zu ihm hinaufgeschickt zu haben. Der Lehrer, so ihre Meinung, hatte jedwedes Musische in mir auf Lebenszeit zunichte gemacht. Und daran hielten sie fest. Fast waren sie erleichtert, als er, bald nach dem Tod seiner Frau, starb, fast erleichtert, ihre Hoffnung nun endlich begraben zu können.

Das Haus am Hügel jedenfalls steht noch. Ich war mit Kyōko einmal dort. Durch die mit Brettern vernagelten Fenster konnten wir das Klavier erkennen, darauf ein Notenblatt, verstaubt. Die Tür zum Zimmer der Frau stand weit offen, doch durch die Ritzen sahen wir nicht viel mehr als ein schmales Bett. Wir setzten uns auf eine der Stufen, die in den Garten führten, und horchten lange dem Wind zu, wie er durch die Bäume rauschte. Ich höre ihn spielen, sagte Kyōko und zeigte auf die sich biegenden Äste. Ihr Finger im Himmel: Ich höre sie alle, die dort oben sind und spielen.

Wie dem auch sei.

Der Grund, warum ich dem Lehrer gerne wiederbegegnen würde, ist, weil ich ihm gestehen möchte, dass ich ein schlechter Schüler war. Es tut mir leid, möchte ich ihm sagen. Es tut mir leid, dass Sie an mich Ihre Zeit verschwendet haben.

Er malte mit der Schuhspitze den Kreis im Kies nach, stellte seine Füße hinein und wieder heraus. Die Krawatte hatte er aufgeknüpft: Ich bekomme sonst keine Luft.

81

Wenn ich es mir recht überlege. Er zögerte. Eigentlich hätte ich lieber, dass der Tod ein Ende ist. Ein sauberer Schnitt. Mit nichts, was nachkommt. Man tritt ein in ein Vakuum. Keine Person mehr, keine Geschichte. Vollkommen erlöst. Oder wie ist das? Seine Stimme wie zerknülltes Papier. Du sollst wissen. Ich habe dir nicht die ganze Wahrheit gesagt. Sein Atem wurde flach. Als du mich fragtest, ob ich Kinder. Kyōko und ich. Wir haben. Wir hatten einen Sohn. Sein Name war. Ist Tsuyoshi. Er streifte sich die Krawatte vom Hals, warf sie hastig über die Lehne der Bank, atmete freier, fuhr fort. Seine Stimme wie zerknülltes Papier, das man sorgfältig auseinanderfaltet und, so gut es geht, wieder glattstreicht: Tsuyoshi. Der Starke.

Wir sprechen selten über ihn. Und wenn, dann ist es Kyōko, die über ihn spricht, nicht ich. Sie kringelt sich, eine Katze, auf der Couch zusammen, vergräbt ihr Gesicht in einem Kissen und spricht da hinein. Immer dasselbe: Weißt du noch? Ich nannte ihn das Glühwürmchen. Sein Lächeln, so hell. Und: Weißt du noch? Der blaue Pullover, den ich für ihn gestrickt hatte. Wie ich Masche um Masche wieder aufgetrennt habe. Und: Weißt du noch? Der kleine Stoffhase am Kopfende seines Bettes. Die roten Bäckchen, wenn er schlief. Und: Weißt du noch? Diese Ähnlichkeit. Es ist immer dasselbe. Sie spricht von Dingen, an die ich mich nicht erinnern kann. Von Seifenblasen und Pusteblumen. Das einzige, woran ich mich erinnere, ist die Peinlichkeit, heiße Welle, die Peinlichkeit eines Teilnahmslosen, als man mir sagte: Ihr Sohn ist behindert. Er wird niemals wie andere sein. Das Gefühl, kein Gefühl: Hier liegt eine Verwechslung vor. Dieses Kind ist nicht meines, sondern das eines anderen. Es ist ein Irrtum, dieses Kind, ich weise es von mir.

82

Gute Neuigkeiten! Kyōko war mir entgegengelaufen.

Das Schönste am Arbeiten…

…ist das Nachhausekommen. Sie zog mich am Arm, durch den Flur und ins Wohnzimmer. Unser Haus. Sie hatte es eingerichtet, war gleich, nachdem wir es gekauft hatten, durch die Räume gegangen und hatte Maß genommen. Die Couch würde hierhin, der Fernseher dorthin kommen. Die Schneekugeln und Spieluhren auf die Kommode. Die tanzende Ballerina auf den Beistelltisch. An diese Wand würde die nackte Frau mit den Beinen im Sand, an jene andere der Matrose mit den schattigen Augen gehängt werden. Unser Zuhause. Das sind all diese Möbel und Gegenstände und Fotos. Vor allen Dingen aber: Kyōkos Bücher. Jedes Jahr einmal erklärt sie, wir brauchen ein neues Regal.

Du musst raten. Sie hatte mich neben sich auf die Couch gezogen. Ich stellte mich dumm. Bestimmt gab es heute Kohl und Paprika im Angebot. Sie lachte. Meine Hand auf ihrem Bauch. Aha, ich hab's! Erdbeeren und Pfirsiche! Ihr Bauch, von Lachen geschüttelt. Ich hörte Glück darin. Erwartung. Ein bisschen Angst. Und wieder Glück. Sch, sch, machte ich schließlich, du weckst es noch auf. Sie nunmehr flüsternd: Bald sind wir eine Familie. Das Wort war weich und zerging in meinem Mund. Eine Familie, wiederholte ich und zerging gleichsam mit dem Wort: Eine F-a-m-i-l-i-e.

83

Ich hatte ein Bild von dem Kind, das, noch unfertig, noch nicht da, noch namenlos in unserer Mitte wuchs. Ich hatte das Bild von einem Menschen, der auf die Welt kommen, darin groß werden, sie irgendwie besser machen würde. Es war ein typisches Bild. Typisch in seinen Besonderheiten. Mein Kind, unser Kind, würde ihm, keine Frage, gerecht werden. Es würde ihm entsprechen, es womöglich sogar übersteigen, über seine Grenzen hinweg, das Bild von ihm überhöhen. Ob so oder so, es wäre die Fortsetzung dessen, was ich und vor mir meine Väter begonnen hatten. Dieses Bild trug ich neun Monate lang, so wie Kyōko das Kind, unter meiner Brust. Und selbst Kei-chan* konnte meinem Glauben daran keinen Abbruch tun.

Es war spät in der Nacht, als ich Kyōko, wenige Tage vor der Niederkunft, durch das Haus tappen hörte. Ich fand sie, runder Bauch, vor dem Wandschrank im Kinderzimmer, um sie herum bunte Häubchen und Jäckchen und Söckchen.

Kannst du nicht schlafen? Ich trat an sie heran.

Nein. Sie wandte sich ab. Den Mond im Rücken. Ich habe geträumt. Sie sprach, als ob sie immer noch träumen würde. Ich habe von Kei-chan geträumt.

Wer ist Kei-chan?

Das Mädchen mit dem Feuermal. Man erzählte sich, ihr Gesicht sei zur Hälfte, von der Stirn bis zum Nacken, mit einem roten Mal, rot wie das Feuer, bedeckt. Man erzählte sich hinter vorgehaltener Hand. Ihre Eltern, sich des Geredes wohl bewusst, hielten sie tagsüber versteckt. Nur wenn es dunkel war, nahmen sie sie mit nach draußen. Ihr Vater würde sie auf seinen Schultern tragen und ihr die Straßen zeigen, in denen wir spielten. Ihre Mutter würde singend nebenher laufen. Man erzählte sich mit gesenkten Stimmen. Sie würden zu dritt durch die Nacht spazieren und dem Licht der Straßenlaternen ausweichen. Und wenn ihnen jemand entgegenkam, würden sie sich ins Gebüsch schlagen, sich gegen eine Wand stellen oder mit eingezogenen Köpfen davoneilen. Als wir noch in der Nachbarschaft lebten, ich war sieben, vielleicht acht Jahre alt, kam ich des Öfteren an ihrem Haus vorbei. Blinde Fenster, manchmal bewegten sich die Vorhänge. Ich bildete mir ein, Kei-chan hätte mir zugewunken. Wie einsam, fragte ich mich, musste sie sein. Ich hätte gerne den Mut gehabt zurückzuwinken. Merkwürdig. Nach all diesen Jahren von ihr zu träumen. Ich habe schon lange nicht mehr an sie gedacht. Im Traum war es sie, die mich fragte: Wie einsam musst du sein? Ich sagte: Sehr. Ohne dich bin ich sehr einsam.

Bloß ein Traum. Du hast geträumt. Ich hockte mich neben Kyōko auf den kalten Boden und legte eines der Jäckchen zusammen, nicht größer als meine Hand.

Nicht wahr? Kyōko war plötzlich hellwach. Wir würden unser Kind auch liebhaben, wenn es –

– so ein Unsinn! Ich ließ sie nicht ausreden.

Und als wir im Bett lagen: Es ist ein Junge. Der Arzt hat mir gesagt, dass es ein Junge ist.

Ich schon halb schlafend: Er soll Tsuyoshi heißen.

84

Die Geburt, ich war nicht dabei, soll einfach gewesen sein. Ich kaufte Blumen auf dem Weg ins Krankenhaus. Ihr zarter Duft in meiner Nase vermischte sich mit dem leicht säuerlichen Geruch, den ich aus dem Haus des Lehrers kannte. Ich dachte an ihn, während ich die Treppen hochlief, eine Melodie auf den Lippen, die Türen aufstieß. Ich dachte an ihn, während ich durch die Gänge, an Zimmern und Betten, an unzähligen Namensschildern vorbei, endlich Ōhara Kyōko las, eintrat und noch beim Eintreten fühlte, dass mein Leben von nun an eine entscheidende Wende genommen hatte. Es war ein siegreiches Gefühl. Mit einem Schlag wurde es ein geschlagenes. Man will ihn nicht zu mir bringen. Kyōkos erster Satz, nachdem ich eingetreten war. Ich weiß nicht warum. Aber man will ihn nicht zu mir bringen. Etwas stimmt nicht. Ich weiß nicht warum. Ihre Hand umklammerte die meine. Tetsu, bitte. Ich will, dass man ihn zu mir bringt. Und wenn er keine Augen hätte und keinen Mund. Ganz egal. Ich muss ihn sehen. Die Blumen, irgendwie welk, irgendwie tot, etwas wurde hart in mir. Ich befreite mich aus Kyōkos Griff, ihre Hand fiel zurück auf die Decke. Was redest du da? Es ist alles in Ordnung. Ich habe ein Bild. Hörst du? Ich habe tausende Bilder. Ich schrie es: Tausende! Hörst du? Tausende! Wir spielen Baseball zusammen, Tsuyoshi und ich, er ist der Schlagmann, ich der Fänger. Du nähst ihm eine Uniform, schwarz und orange wie die der Giants. Er interessiert sich für Geschichte. Nein. Für Geographie. Ich kaufe ihm einen Globus, und wir reisen mit unseren Fingern einmal um die Welt. Wir prügeln uns. Zum Spaß, versteht sich. Wir prügeln uns wie in den Filmen, die wir nachts, wenn du schon schläfst, zusammen schauen. Er ist stärker als ich. Er hat eine starke Faust. Er schlägt mir damit in den Bauch, und ich denke: Aus ihm wird ein starker

Mann. Er studiert Medizin. Nein. Technik. Nein. Wirtschaft. Er ist der beste seines Jahrgangs, und ich bin stolz auf ihn. Ich sage es nicht. Aber ich bin stolz. Ich streite es ab. Ich bin so stolz, dass ich es abstreite. Solcherart ist mein Stolz, dass ich so tue, als ob das gar nichts sei: Dass er der beste nicht nur seines Jahrgangs, der beste Sohn, überhaupt, der beste Mann ist, dem ich jemals in meinem Leben begegnet bin.

Der Arzt.

Rasiertes Kinn.

Kleine Augen hinter dicken Brillengläsern.

Es gibt keinen Zweifel. Wir haben festgestellt. Ihr Sohn ist behindert. Ein Herzfehler, obendrein. Nein, das lässt sich nicht richten. Das ist nichts, was sich richten lässt. Sie müssen verstehen. So etwas bleibt. Wird bleiben. Man kann es nicht wegoperieren. Verstehen Sie mich? Ōhara-san? Es ist wichtig, dass Sie das verstehen. Ihr Sohn wird niemals wie andere sein.

Ich verstand kein Wort von dem, was er sagte. Als er mich fragte, ob ich nun bereit sei, ihn zu sehen, schüttelte ich den Kopf und ging hinaus, ohne mich zu verabschieden. Ich glaube, ich hatte Angst, er könnte mir ähnlich sein.

85

Eine Woche später kamen sie nach Hause. Sie, das waren Kyōko und Tsuyoshi. Ich selbst zählte mich nicht dazu. Das Wort Familie, mit dem ich einst zergangen war, hatte sich in meinem Mund zu einem zähen Klumpen verfestigt. Ich kaute an ihm, es würgte mich. Sein Geschmack bereitete mir Übelkeit. Ich stand, eine Hand vor dem Mund, im Flur und konnte mich nicht dazu überwinden, zu ihnen hinüber ins Kinderzimmer zu gehen.

Tsuyoshi schrie nicht. Unter meiner Brust war das Bild eines schreienden Babys gewesen. Das Bild einer Mutter, die es, hin- und herwiegend, zur Ruhe legte. Das Bild meiner selbst, der milde lächelnd auf sie beide herabsah. Ist ja gut, hatte ich sagen, ist ja gut, hatte ich ihm den Rücken, ihr den Arm tätscheln wollen. So aber hielt ich mich heraus. Die Stille erlaubte es mir. In jenen Tagen war unser Haus still. Sämtliche Geräusche schienen darin gedämpft, von Stille erstickt zu sein. Kaum aushaltbar. Ich sehnte mich nach einem ohrenbetäubenden Knall. Nach einer Tür, die zukrachte, einer Glaswand, die zersplitterte, nach irgendeinem Lärm, der dem gleichkäme, was ich mir unter dem Schreien eines Babys vorgestellt hatte. Die Sehnsucht trieb mich fort. Ich stand früher als notwendig auf, verließ früher als notwendig das Haus, saß früher als notwendig an meinem Tisch im Büro. Der Drehstuhl quietschte, die Schreibmaschine tackerte. Ich machte Überstunden für zwei. Dem Karōshi* nahe. Ging nachher trinken in einer Karaoke-Bar*, lallte Lieder von Trauer und Schönheit, das Mikrofon dicht am Mund. Taumelte hinaus. An den lautesten Ecken vorbei. Hing, daran sollte sich nichts ändern, einem Menschen nach, der nie geboren worden war.

86

Kyōko hingegen!

Sie ging auf. Ich beobachtete, wie sie, aufgehend, von Tag zu Tag schöner wurde. Dieser gewisse Glanz in den Augen einer Mutter, wenn sie sich über das Bett ihres Kindes beugt, ganz hingegeben jeder seiner Bewegungen, auch wenn sie so klein sein mögen, dass man sie fast nicht bemerkt. Schau doch, er greift schon, würde sie dann sagen.

Schau doch, er lächelt. Schau doch, er hat deine Augen. Findest du nicht? Papas Augen, sagte sie zu ihm, da ich keine Antwort gab: Du hast Papas Augen. Ich, im Flur, fühlte Neid. Ich beneidete sie um die Fähigkeit, dieses stille, stille Kind, gegen alle Vernunft, wie ich meinte, gegen allen gesunden Menschenverstand als unseres zu betrachten, es so hinzunehmen, wie es war, und mit keinem Wort seine Unzulänglichkeit zu erwähnen. Mehr noch: Sich keiner Unzulänglichkeit an ihm bewusst zu sein. Dabei musste sie doch sehen, dass es ein Fehler war. Gewiss, dachte ich, verstellt sie sich bloß. Ja, gewiss, sie macht sich was vor. Den Kollegen in der Firma hatte ich erzählt, unser Sohn sei kerngesund auf die Welt gekommen. Zehn Finger, zehn Zehen. Man hatte mir gratuliert, war in Beifall ausgebrochen. Ich erinnere mich an das Geräusch von Händen, die nicht aufhören wollten zu klatschen. Und ich erinnere mich daran, dass ich für die Dauer von dreißig Sekunden so etwas wie Glück empfand.

Die Eltern kamen zu Besuch. Kyōkos. Meine. Ein pflichtschuldiger Blick ins Kinderzimmer, danach unterhielt man sich bei Tee und Keksen über die gestiegenen Preise, den Taifun im Süden und die Affäre eines Schauspielers mit einer Sängerin. Es war ein angestrengtes Gespräch, immer wieder brach es ab, nur am Laufen gehalten durch die Anstrengung, es möglichst nicht auf Tsuyoshi zu lenken. Ich ging in den Garten, um eine Zigarette zu rauchen. Drückende Schwüle, bald würde es ein Gewitter geben. Meine Mutter war mir gefolgt. Ich hörte sie hinter mir in ein Taschentuch schniefen. Armer Sohn, sagte sie. Sie meinte mich. Man weiß nicht, wie solche Dinge zustande kommen. Matsumotos. Vielleicht. Okada-san hat uns etwas verheimlicht. Wir hätten gründlicher nachforschen sollen. An uns liegt es jedenfalls nicht. Sie zischelte. Ich ließ es zu. Hörte Trost in ihrem Zischeln: Es ist Kyōko. Zweifellos sie. So unmanierlich, wie sie damals war, an ihrer Unmanierlichkeit hätte man es erkennen können. Genug davon. Nicht laut, ich sagte es leise: Es ist genug.

87

Hältst du ihn? Kyōko drückte ihn mir auf den Arm. Ich muss nachschauen, ob das Wasser. Schon war sie in die Küche. Ich alleine mit Tsuyoshi, das erste und letzte Mal. Sein Gewicht überraschte mich. Ebenso die Wärme seines Körpers. In meiner Vorstellung war er leicht und kühl gewesen, wie etwas, was man nicht fassen kann: Eine Brise. Kaum da, schon wieder fort. Er starrte mich an, seine Fäuste nach oben gestreckt. Ich hielt seinen Kopf. Seidiges Haar. Plattes Näschen. Offener Mund. Du. Schrei mal. Ein bisschen. Kannst du nicht einmal für mich schreien? Babys tun das. Sie schreien den ganzen Tag. Es ist zum Verrücktwerden, ihr Geschrei. Aber du. Warum schreist du nicht? Ich kniff ihm in die Wangen. Zuerst fest, dann fester, so fest, dass mir die Finger schmerzten. Sein Schrei war ein Röcheln, erschrocken legte ich ihn ab. So röchelt kein Baby, nur ein sehr alter Mensch. Schnell weg. Ich brauche Luft. Als Kyōko wiederkam, war ich bereits draußen unter dem Ahornbaum und zündete mir eine Zigarette an. Heute denke ich: Wäre ich sitzen geblieben, noch einen Moment, und hätte sein Lächeln abgewartet. Ich würde entdeckt haben, dass seine Behinderung im Vergleich zu der meinen eine geringfügige war. Das, was in mir hart geworden war, hinderte mich daran, tief und innig, die Weichheit seiner Wangen zu fühlen. Von uns beiden hatte ich den schlimmeren Herzfehler.

Kyōko machte mir keine Vorwürfe. Sie wusste um meine unausgesprochenen Gefühle und hatte wohl gleichzeitig

Angst davor, dass ich sie aussprechen könnte. All die Leute, die gekommen waren, um uns ihre Glückwünsche zu übermitteln. Sie nannte sie, scherzhaft, schmerzhaft, Kondolenzbesucher. Sie kamen, um ihr Bedauern auszudrücken. Wie schade, dass es nicht gesund ist. So ein Pech aber auch. Ob man es nicht hätte verhüten können. Kyōko hatte wohl Angst, dasselbe hilflose Bedauern aus meinem Mund zu hören. Als ob er tot wäre. Empörtes Aufschnaufen. Statt über mich, empörte sie sich über die Leute.

88

Einmal, Kyōkos Idee, waren wir zu Gast im Haus der Sonne. Es war ein Haus, in dem sich Eltern wie wir mit Kindern wie Tsuyoshi zum gemeinsamen Austausch trafen. Dazuzugehören. Plötzlich war das ein beklemmender Gedanke. Teil einer Gruppe zu sein. Ich legte mir ein Lächeln zurecht, setzte es auf, trug es, ein Schild, auf dem stand: Bitte nicht berühren. Ich verschanzte mich dahinter. In der Vorstellungsrunde sagte ich lächelnd: Ich freue mich, hier sein zu dürfen. Fünf Kinder, zählte ich. Neun Väter und Mütter. Einer fehlte. Ich. Man hieß mich trotzdem willkommen: Die Freude ist ganz unsererseits.

Tsuyoshi war der jüngste. Fünf Monate alt. Die anderen Kinder waren drei, sechs und zehn, eines sechzehn. Ich war erstaunt. Der Sechzehnjährige, ich glaube, er hieß Yōji, war gerade dabei, ein Bild zu malen. Er saß aufgeregt auf und ab hüpfend, eine rote Ölkreide in seiner Hand, schielte verstohlen zu uns herüber, beugte sich wieder über den Bogen Papier. Während neben ihm die zehnjährige Miki voller Eifer erklärte, sie wolle, wenn sie groß sei, Häuser bauen. Ihr Vater, sie stolz um die Schultern fassend:

Architektin also. Meine Tochter wird Architektin werden. Was für ein Wahnsinniger, dachte ich. Mein Lächeln, saß noch. Der Dreijährige krabbelte zwischen meinen Füßen hindurch. Tāchan, komm! Seine Mutter lockte ihn mit einer Plastikente. Man redete durcheinander, stolperte über herumliegendes Spielzeug. Eine Puppe lag mit verdrehten Gliedern auf einem Teddy ohne Augen. Die sechsjährige Akiko schlug wild auf sie ein.

Ojisan*.

Ich zuckte zusammen. Eine rote Hand, rot wie das Feuer, hatte mich gestupst.

Es war Yōji. Er hatte Mühe zu sprechen. Jedes Wort presste er heraus, als ob er es eben erst gelernt hätte: Ich habe ein Bild gemalt. Hier. Bitte. Das sind Sie. Er hielt mir den Bogen Papier unter die Nase.

Ich sah ein Gesicht. Kantig. Der Mund war ein Strich, seine Enden nach unten gezogen. Die Augen zwei Löcher, aus ihnen kamen zwei Blitze. Keine Ohren, sondern Hörner. Das Gesicht eines Dämons. Yōjis Vater entschuldigte sich: Er hat Sie nicht sehr gut getroffen. Und zu ihm: Das kannst du besser. Du siehst doch, Ojisan lächelt. Yōji seufzte und ging an seinen Platz zurück.

89

Auch er seufzte. Zu denken, dass dieser Junge in meine Seele geschaut hat. Und nicht nur er. Er wischte sich mit dem Ärmel den Schweiß von der Stirn. Diese Hitze. Das Gras dörrt aus. Von allen Jahreszeiten mag ich den Sommer am wenigsten. Mattes Hüsteln. Wir waren im Park. Mir fiel es auf, er hatte seine Aktentasche nicht wie gewöhnlich zwischen uns gestellt. Mir fiel es auf, störte mich nicht. Unsere Bank war eine Wartebank. Zusammen warteten wir auf etwas, was nicht geschehen würde.

Tsuyoshi!

Ein Schrei.

Er hallt wider zwischen den Wänden unseres stillen Hauses.

Ich stürze ins Kinderzimmer. Da ist Kyōko. Schreiend. Über seinem Bett. Ihn hochnehmend. Sein Kopf fällt schwer zur Seite. Er atmet nicht. Er ist kalt. Komm schnell. Beeil dich. Ins Krankenhaus. Ein leicht säuerlicher Geruch. Ich denke an den Lehrer. Den Motor angelassen. Das Auto, ein fahrender Schrei. Im Rückspiegel sehe ich Kyōkos vom Schreien auseinandergefallenes Gesicht. Tsuyoshi ist weiter unten auf ihrem Schoß. Ich sehe ihn nicht. Tetsu, bitte. Fahr schneller. Um Himmels willen. Fahr so schnell, wie du nur kannst. Und dieser Augenblick, jäh, als sie zu schreien aufhört. Stattdessen flüstert: Er atmet nicht. Er ist tot. Blaues Ampellicht auf Kyōkos Gesicht. Fahr langsam. Noch langsamer. Du sollst langsam fahren. Ich will ihn, so lang es noch geht, bei mir behalten. Ich nehme den Fuß vom Gas. Bremse. Fühle, ich gebe es zu, wieder diese Peinlichkeit, heiße Welle. Wer ist gestorben? Ich kenne ihn nicht. Hinter uns wird gehupt. Jemand ruft eine Beleidigung. Ein Gefühl, kein Gefühl: Er meint nicht mich. Ich bin nicht der, den man meint, wenn man uns sagt: Es tut uns leid, da kann man nichts machen.

90

Es ist sinnlos, ich weiß. Aber gerne, wirklich gerne würde ich sagen können, ich erkannte noch am selben Tag, welchen Verlust ich erlitten hatte. Ich erkannte den Verlust meines Sohnes. Ich erkannte den Verlust, den es bedeutete, ihn kein einziges Mal bei seinem Namen gerufen zu haben, dem Namen, den ich ihm gegeben hatte. Tsuyoshi. Der Starke. So hatte ich ihn mir vorgestellt. Stark wie eine Faust, die mir in den Bauch schlüge, wie in den Filmen, die ich nicht mit ihm geschaut hatte. Doch die Erkenntnis, wen und was ich mit ihm verloren hatte, kam erst später, Jahre später, und als sie kam, war es ein doppelter Verlust. Das Aufbrechen einer Narbe. Und man fasst hinein und versteht, das lässt sich nicht richten. Das ist nichts, was sich richten lässt.

Wir kehrten zu zweit nach Hause zurück. Im Flur lag eine Rassel. Kyōko bückte sich, hob sie auf. Ich sagte, sprach es aus: Vielleicht war es besser so. Kyōko drehte sich rasselnd nach mir um. Ihre Augen geweitet: Für wen war es besser? Etwa für dich? Mit dieser Frage ließ sie mich stehen, war ins Kinderzimmer, hatte die Tür hinter sich verriegelt. Ich lauschte nach einem Zeichen, hörte nichts als das Ticken der Uhr an meinem Handgelenk. Nach einer Stunde gab ich es auf, setzte mich vor den Fernseher und drehte die Lautstärke auf.

91

Jahre später.

Kyōko hatte sich, eine Katze, auf der Couch zusammengekringelt und sprach in eines der Kissen hinein. Immer dasselbe: Weiß du noch? An jenem Abend im August. Als du sagtest: Es ist vielleicht besser so. Ich habe in meinem Leben noch nie eine solche Feindschaft empfunden wie damals gegen dich, als du das sagtest. In deinem Anzug. Deine Krawatte war verrutscht. Dunkle Flecken an deinen

Achseln. Ich saß an Tsuyoshis Bett und empfand bitterste Feindschaft gegen dich. Sechs Monate lang hatte ich darum gerungen, sie nicht zu empfinden, nicht wenn du betrunken nach Hause gekommen warst, nicht wenn du in deiner Betrunkenheit darüber geklagt hattest, dass dein Leben eine Sackgasse sei. Nun aber erfüllte sie mich. Endlich. Sie war die traurige Sehnsucht, zu ihm hinüber, auf die andere Seite zu gelangen. Freundlicher Tod. Ich wollte ihn. Inmitten der Feindschaft erschien er mir als ein Freund, der mich herzlich empfangen, mich freundlich in sein Herz schließen würde. Selige Nacht. Ich wollte Schäfchen zählen, bis das letzte über den Zaun gesprungen wäre. Aber. Was denkst du? Was hat mich davon abgehalten? Hör gut zu! Der simple Gedanke, dass ich um sechs Uhr aufstehen und dir dein Bentō zubereiten muss. Absurd. Nicht wahr? An Absurdität nicht zu übertreffen. Der Gedanke, dass du mich brauchst. Mich, die dir eines Tages, heute, sagen wird: Ich durchschaue dich und dein Unvermögen. Durch all dein Unvermögen hindurch sehe ich einen Menschen, der leidet. Dieser Gedanke war es, der mich gerettet hat. Mit einem Mal sah ich dich, wie du in die Arbeit fährst und wieder zurück, in die Arbeit und wieder zurück, und mit einem Mal sah ich, du rollst einen Felsen, ich rolle ihn mit dir. Immer dasselbe. Wir rollen uns gegenseitig einen steilen Bergweg hoch.

92

Drei Reisbällchen. Tempura. Ein Algensalat.

Wenn Tsuyoshi noch am Leben wäre, er wäre jetzt einunddreißig Jahre alt. Ein gutes Alter. Er brach die Stäbchen entzwei. Ein Alter, von dem aus man gut zurück und nach vorne blicken kann. Magst du?

Ich nickte.

Hier, nimm eines der Reisbällchen. Schmeckt es?

Ja. Es ist das beste Reisbällchen, das ich jemals gegessen habe.

Er lachte, wischte sich lachend mit dem Handrücken über die Augen. Eine unsichtbare Träne. Ich wünschte, ich könnte so mit ihm zusammen sitzen und Kyōkos Bentō essen. Ich meine. So wie mit dir. Findest du nicht? Er deutete mit den Stäbchen einmal hierhin, dann wieder dorthin. Auf eine Art sind alle hier im Park. Der Mann dort mit der jungen Frau am Arm. Das ist Hashimoto. Die Alte am Gehstock, die ihnen hinterher hinkt: Seine Frau. Der mit dem Buch da drüben, den Bleistift im Mund, ist Kumamoto. Im Schatten des Baumes, den Rock über die Knie ziehend: Yukiko. Der, der beim Brunnen sitzt und die Tauben füttert. Er könnte der Lehrer sein. Alle hier. Unter diesem Himmel. Man muss nur Ausschau halten.

Wenn das so ist, wollte ich sagen, wäre ich gerne Ihr Sohn. Ich sagte es aber nicht. Stattdessen bat ich ihn um einen Gefallen. Da wäre etwas, begann ich.

Was ist es?

Da wäre etwas, was Sie für mich tun könnten.

Nun sag schon.

Bitte sagen Sie Ihrer Frau, heute Abend noch, die Wahrheit darüber, dass Sie Ihre Arbeit verloren haben. Sie sind es ihr schuldig. Nach allem, was passiert, nach allem, was nicht passiert ist.

Ich verspreche dir, ich werde es tun. Und du, du versprichst mir, dass du dir, heute Abend noch, die Haare kurz schneidest. Lang genug habe ich es dir nicht gesagt, aber du siehst furchterregend aus mit diesen Zotteln.

Ich lachte mit ihm: Gut, abgemacht.

Am Montag werden wir einander nicht wiedererkennen.

Sie werden kommen?

Ja, natürlich.
Und dann?
Ein Neuanfang.

93

An jenem Nachmittag war ich es, der einschlief. Ich schlief ein und träumte: Ich war in meinem Zimmer. Kalter Schweiß an den Händen. Ich lag ausgestreckt auf meinem Bett, eine Leiche. Mit aller Anstrengung versuchte ich, mich zu bewegen. Da hörte ich Vaters Stimme: Nichts zu machen. Der Junge ist tot. Ich wollte rufen: Nein, ich lebe! Aber ich hatte keinen Mund. Über mir ein Spiegel. In ihm sah ich, ich hatte weder Mund noch Augen. Aus Augen, die ich nicht hatte, sah ich, mein Gesicht war eine weiße Wand. Mutters Stimme: Es ist schade um ihn. Er hat nie sein Gesicht gefunden. In diesem Moment gingen die Vorhänge auf. Durch das Fenster kam grelles Licht. Es fiel auf die weiße Wand, die ich war, und plötzlich sah ich, im Spiegel, sie bröselte und mit ihr zerbröselten die vier Wände meines Zimmers. Weiter Raum um mich herum. Jemand berührte mich. Ich lief ihm nach. Im Laufen bekam ich Mund und Augen zurück. Ein Brennen auf den Wangen. Ich bemerkte, ich weine. Meine Tränen waren rote Fäden, die an mir herunterflossen. Ich habe es nicht verlernt, rief ich, um dich, mein liebes Kind, zu weinen.

Als ich erwachte, war er nicht mehr da. Neben mir, über der Lehne, hing seine Krawatte. Ich steckte sie ein und befühlte den Stoff, warme Seide. Ein Neuanfang, hatte er gesagt. Das Wort hatte mich müde gemacht. Ich schleppte mich durch den Park, hinaus, über die Kreuzung, an Fujimotos vorbei, nach Hause. Die Eltern standen besorgt im Türrahmen. Da bist du ja. Gott sei Dank. Wir wollten schon. Aber ich war zu müde, um ihnen mehr als ein träge dahin geworfenes Tadaima* zurückzugeben. Die Eltern, aus einem Mund: Okaerinasai*.

94

Heute Abend noch. Wir hatten eine Abmachung. Ich hielt mich daran. Die Schere in der Rechten, schnitt ich Strähne für Strähne, bis mein Kopf leicht und kühl geworden war. Einmal abgeschnitten, waren die Haare, überall auf dem Boden, nicht länger die meinen und genau so, dachte ich, müsste es auch ihm ergehen. Einmal ausgesprochen, würde die Last der Wahrheit von ihm abfallen und er würde hinterher nicht mehr sagen können, warum er sie überhaupt so lang hinausgeschoben hatte. Er würde, wie ich, vor dem Spiegel stehen und sich zugleich fremd und vertraut finden. Er würde an mich denken und sich sagen: Die Wahrheit gestehen ist wie Haare abschneiden.

Noch aber überwog das Vertraute. Die Frage: Wie sollte es weitergehen? Unsere Freundschaft war der größere Raum, in den ich eingetreten war. Seine Wände hatte ich mit den Bildern derer tapeziert, von denen wir einander erzählt hatten, und der Gedanke, ich müsste ihn womöglich verlassen, durch eine Tür, von der ich nicht wusste, wohin sie führte, mich dem Unbekannten aussetzen, der Gedanke kreiste mich gefährlich ein. Beinahe hoffte ich, er würde sein Geständnis weiter hinausschieben, montags auftauchen und mir wortlos zu verstehen geben, dass er versagt hätte. Es war eine schäbige Hoffnung. Ich drängte sie zurück. Das ganze Wochenende verbrachte ich damit, sie in die Ecke zu stellen. Am Sonntagabend war sie nur mehr der schwache Wunsch, ich hätte noch einmal die Chance gehabt, ihm zu sagen, ich wäre gerne sein Sohn.

95

Neun Uhr. Das musste er sein. Kurzärmliges Hemd, ein Hawaii-Muster. Er kam auf mich zu, sein Gesicht seltsam verjüngt. Nein, eine Täuschung, das war er nicht. Der dort hinten aber. Die Schultern vornüber geneigt. Schiefer Gang, als ob er jemandem ausweichen wollte. Ja, das war er. Dann: Nein. Und wieder: Ja. Dann: Doch nicht. Und: Wieder nicht. Wie konnte das sein? Bestimmt war ihm etwas dazwischengekommen. Eine Verspätung. Bestimmt. Gleich wäre er da. Die Gestalt bei den Büschen. War das ein Mann? Oder eine Frau? Oder ein Kind? Was, wenn er? Ich wartete. Spähendes Auge. Bestimmt war es ein Missverständnis. So viele Leute, die kamen und gingen. Sie waren mir vorher nicht aufgefallen. Ob ihm etwas zugestoßen war? Mit jeder Verwechslung erfand ich einen Grund für seine Abwesenheit. Einmal waren es Kopfschmerzen, dann war es der Tod eines entfernten Verwandten, eine Sommergrippe, jemand brauchte dringend seine Hilfe. Die Krawatte zwischen Zeige- und Mittelfinger wartete ich, schon gar nicht mehr im Klaren darüber, auf wen.

Mittagszeit. Im Park wurden Bentōs ausgepackt. Man saß in Grüppchen verstreut und aß, trank, plauderte. Ich dachte an Kyōko und fragte mich, ob sie wohl auch heute wieder aus Gewohnheit um sechs Uhr aufgestanden war. Oder ob sie liegen geblieben, immer noch im Bett, ihn gebeten hatte, nicht fortzugehen. Ob sie von mir wusste. Und ob sie, wenn ihm etwas zugestoßen wäre, hierher kommen würde, um mir Nachricht zu geben. Die Frau da vorne, das könnte sie sein. Ich hatte den Eindruck, sie suchte nach jemandem. Ich bin hier, hätte ich fast gerufen, aber da sah ich, sie war bereits Arm in Arm fündig geworden. Auf einmal schämte ich mich, mir solche Wichtigkeit zugeschrieben zu haben. Ich schlug den Kragen hoch. Wer war ich, dass ich glaubte, Kyōko müsste nach mir suchen? Wer war ich, dass ich glaubte, sie müsste sich mir gegenüber verpflichtet fühlen? Ich schaute ihr nach, wie sie hinter einem der Bäume verschwand. Der Salaryman an ihrer Seite hatte im Gehen seine Hand, sehr sachte, in ihren Nacken gelegt.

96

Und da war es wieder. Das Gefühl, ein Niemand und weniger noch als niemand, ein Nichts zu sein. Es war ein ohnmächtiges Gefühl. Es legte mich in Fesseln und sagte: Nun lauf! Ich versuchte es, warf mich hin und her, kam nicht weiter als einen Millimeter. Ich zitterte von der Anstrengung, die es gekostet hatte, so weit zu kommen. Nach Yukikos Tod war es dieses Zittern gewesen, ein beständiges Jucken knapp unter der Haut, welches mich von innen her und nach außen hin daran erinnert hatte, dass ich trotz all der Bestrebungen, normal zu sein, trotz all der Kämpfe, die ich darum ausfocht, gerade deshalb irgendwie anders war.

Ich verbarg es so gut ich konnte. Man sollte mir nicht ansehen, dass ich es verbarg. Und wenn es einmal nicht zu verbergen war, dann war ich der lauteste, der darüber lachte, darauf hinwies und sagte: Wie komisch! Meine Hände hatte ich meistens eingesteckt. Immer wenn man mich beim Namen rief, begannen sie zu zittern. War ich ertappt worden? War man dahintergekommen? Ich, der tat, als ob ich nichts gesehen hätte, war penibelst darauf bedacht, nicht gesehen zu werden. Und wer ist unsichtbarer als der, der sich anpasst? Die Hände in den Hosentaschen gab ich vor, jemand zu sein, eine Person mit einem Gesicht ohne Geheimnis. Das war der Druck, den ich gemeint hatte. Nicht die Klassenarbeiten, nicht die Noten. Der Druck bestand darin, meine Gesichtslosigkeit überspielen zu müssen. Das Ringen um Glaubhaftigkeit. Der erste Raum, in den ich mich zurückgezogen hatte, war nicht mein Zimmer im Haus der Eltern, sondern schon lange davor meine blanke Stirn gewesen. Wenn die Rede auf Yukiko kam, die Lehrer erwähnten ihre Geschichte, ab und an, um der darin enthaltenen Mahnung willen, dann vergrub ich meine Hände noch tiefer, ging, lässig pfeifend, auf die Toilette, wo ich mich einsperrte und minutenlang wartete, bis das Zittern ein wenig nachgelassen hatte. Taguchi, klopfte es, was machst du da drinnen? Ich: Du weißt schon. Ach so, ein anerkennendes Glucksen. Mann, du brauchst aber lang. Ich kam, glattes Grinsen, heraus.

Zu Hause vermied ich es, mit den Eltern an einem Tisch, mit zitterndem Löffel und zitternder Gabel unter ihren Augen zu essen. Dabei fiel es ihnen höchstwahrscheinlich gar nicht auf, da ich mir gewisse Taktiken angeeignet hatte, das Zittern unter die Haut zu drängen und es so lange darunter verborgen zu halten, bis ich es, wieder alleine, eine Erleichterung, zurück an die Oberfläche treten ließ. Immer öfter aß ich in meinem Zimmer. Weder Vater noch Mutter fragten nach Gründen. Man weiß ja, wie das ist, sagten sie, in diesem Alter hat man seine Schwierigkeiten. Hätten sie mich gefragt, ich hätte ihnen keine bessere Antwort geben können. Ihr Verständnis meinem schwierigen Alter gegenüber war die beste Entschuldigung, die ich vorweisen konnte: Bitte entschuldigt mich, aber ich habe keine Lust, mit euch zusammenzusitzen. Bitte entschuldigt mich, aber mir liegt nichts daran, euch zu erklären, warum. Zitternder Blick.

Von allen Menschen war ich es, von dem ich am wenigsten gesehen werden wollte.

97

Ich sah mich aber.

Ich stand daneben und sah mich.

Wackelnde Kamera.

Ich sah das Unmögliche, den Versuch, mich zu überlisten. Es war normal gewesen, weggeschaut zu haben, sagte ich mir. Das Normalste der Welt, Yukikos ersticktes Bitte hilf mir! überhört zu haben. Weitergegangen zu sein, in dem Moment, als ihr Blick sich in meinen gelegt, sich daran festgehalten, plötzlich erkannt hatte: Der hilft mir nicht. Von dem ist keine Hilfe zu erwarten. Diese Enttäuschung, als er aus meinem herausfiel, da ich weitergegangen war, zwei Ecken weiter keuchend stehen blieb, ein weiches Klatschen vernahm, wie wenn etwas sehr Feines von etwas sehr Grobem zerdrückt, zerrissen, zermalmt worden wäre. Und wer täte das nicht? Dann noch eiliger davonzulaufen? Wer hätte nicht das Gleiche getan? So redete ich auf mich ein und sah, wie ich mir glaubte, mir unbedingt glauben wollte, wie der Glaube mich beruhigte, die Ruhe eine vorgetäuschte war. Vergiss Yukiko. Du hast sie schon einmal vergessen. Ich sah, wie ich mir den Anschein gab, sie vergessen zu haben. Sie war der schwarze Punkt auf einer weißen Fläche. Wenn man ihn lange genug übersieht, hört er auf zu existieren. Die Wirklichkeit ist eine Variable, ein bloßer Platzhalter für eine veränderliche Größe. Man biegt sie sich gerade. Kein Verbrechen. Ein Verbrechen ist es erst dann, wenn man die geradegebogene Wirklichkeit für wirklicher als die Wirklichkeit hält und sie wider sein besseres Wissen als solche verteidigt.

Wenn ich nur ein einziges Mal geweint hätte. Ich sah mir beim Nichtweinen zu. Kiefer anspannen. Schlucken. Etwas kaputtmachen. Schnell. Den Spiegel da, zerschlagen. Und noch einmal. Mit der Faust hinein. Ein wohltuender Schmerz, der den eigentlichen übertüncht. Den, der nicht da ist. Den man sich zwingt, nicht zu spüren. Die Scherben zusammenkehren. Und fort damit. Zu wissen, besseres Wissen, dass das Nichtweinen ein Weinen ist. Und dennoch weint man nicht. Spannt den Kiefer an. Schluckt.

Es gab andere wie mich. Leicht sie zu erkennen. Schwierig mich in ihnen wiederzuerkennen. Ich erkannte sie an ihrem fliehenden Gang. Rote Flecken am Hals, wenn man sie ansprach. Übertriebene Lustigkeit. Verkrampfte Zurschaustellung einer Normalität, von der sie sich eben dadurch unterschieden. Ich fand sie abstoßend. Alle. In ihrer Durchsichtigkeit fand ich, sie waren Dilettanten, die mich und mein Ringen um Glaubhaftigkeit bedrohten. Ein Fehler ihrerseits, und es würde noch größere Anstrengung kosten, mein falsches Gesicht zu wahren. Das, was uns miteinander verband, war gleichzeitig das, was uns voneinander trennte. Ein jeder von uns in seiner Schale. Bei der geringsten Erschütterung zogen wir unsere Köpfe ein.

98

An meinem siebzehnten Geburtstag schlug Vater vor, mit mir ans Meer zu fahren. Heute fahren wir ans Meer, sagte er. Nur du und ich, Vater und Sohn. Das war seine Art, etwas vorzuschlagen. Im Auto hörten wir alte Enkas*. Sake* und Frauen, sang einer, nichts Schöneres gibt es als sie. Vater sang mit, während ich wortlos aus dem Fenster schaute. Mir war, wir bewegten uns nicht von der Stelle. Es waren die Häuser, die Reisfelder, die Wolken, die sich bewegten, nicht wir. Der blasse Mond. Ein Streifen Blau darunter. Er kam näher. Das Meer.

Vater, das Hemd wie ein Segel gebauscht, gab die Richtung vor. Ich stapfte hinter ihm her den Strand entlang. Das Tosen der Wellen. Eine Möwe kämpfte gegen den Wind. Zwei Felsen. Hier rasten wir. Es ist lange her, dass wir so beisammen saßen. Das erste Mal, entgegnete ich. Verlegenes Räuspern. Wie auch immer. Es tut gut, so beisammen zu sein. Wir sollten das öfter. So beisammen. Er zog sich die Schuhe aus, die Socken, steckte die Füße in den Sand. Man tut das zu selten. Er lachte. Ich erkannte ihn an seiner dünnen Stimme. Ich hätte ihn am Ärmel ziehen wollen. Ihm sagen: Du musst das nicht. Dich vor mir verstecken. Deine Traurigkeit. Du musst sie nicht weglachen. Wieder räusperte er sich, grub die Zehen noch tiefer. Weißt du, erwachsen zu werden ist gar nicht so schlecht. Ich meine. Du hast ein Ziel, ein klares, und gibst dein Bestes, es zu erreichen. Du behältst es im Auge, gehst Schritt für Schritt darauf zu. Du magst stolpern, du richtest dich wieder auf. Am Ende aber wirst du es erreicht haben. Das Ziel. Du wirst zurückblicken und sehen, wie weit du gekommen bist. Fußspuren im Sand. Und du wirst glücklich sein. Alle Verzweiflung des Weges wird von dir abgefallen sein. Verstehst du? Ja? Ich nickte. Warst du denn jemals verzweifelt? Die Frage rutschte aus mir heraus. Wer? Ich? Er hielt inne, die Füße knöcheltief. Nein, wie kommst du darauf? Ich spreche bloß allgemein. Was ich sagen will. Du darfst dich nicht abbringen lassen. Ein leichtes Schulterklopfen. So beisammen lässt sich's gut reden. Vater klopfte sich den Sand von den Füßen, zog sich die Socken an, die Schuhe. Wir gehen weiter. Zerbrochene Muscheln, springende Steine. Am Horizont ein Boot. Es machte kehrt, kam heim.

99

Seltsam. Aber die Erkenntnis, dass auch Vater etwas verbarg, diese Erkenntnis, dass auch er, von Zittern erfüllt, es unter seine Haut gedrängt hatte, tröstete mich. Wenigstens eine Zeitlang. Es war einfach so, wie er gesagt hatte: Man musste ein Ziel haben. Man musste sein Bestes geben. Man musste es erreichen. Irgendwann glücklich sein. Es bedurfte dazu nur eines kleinen Sprunges. Hinüber auf die sichere Seite, hinüber zu denen, die nicht zu viel nachdenken, nicht darüber, wie weh es tut, nicht nur den anderen, sondern mit ihm sich selbst verraten zu haben. Ich wollte dorthin, nahm Anlauf, war noch im Anlaufen. Wäre gesprungen, wenn mir Kumamoto, ein Staffelläufer, nicht im letzten Moment den Staffelstab der Wahrhaftigkeit überreicht hätte. Gib es zu. War das sein Ruf gewesen? Gib endlich zu, dass du an derselben Krankheit leidest. Mein Ja war die Tür, die sich hinter mir schloss. Vaters Verzweiflung. Sie kam zu spät. Als er brüllend ins Zimmer gestürmt war und seine Hand gegen mich erhoben hatte, war ich schon längst nicht mehr antastbar gewesen. Er sah es, ich bin mir sicher. In Wahrheit war er es, der vor mir zurückgewichen war. Er hatte mit Absicht danebengeschlagen.

Bleicher Abendhimmel.

Der Park begann sich zu leeren. Ringsherum gingen die Lichter an. Eine Minute noch. Vielleicht käme er jetzt. Gerade dann, wenn ich aufstünde. Happy! Bleib hier! Eine gespannte Leine. Warme Hundeschnauze an meinem Hals. Happy! Lass das! Happy! Komm her! Happy! Sei brav! Der Shiba* gehorchte nicht. Immer wieder sprang er an mir hoch und leckte mir übers Gesicht. Raue Zunge. Er winselte. Ich schob ihn zur Seite und stand auf. Happy! Aus! Ich hörte ihn bellen, noch lange, nachdem ich unsere Bank verlassen hatte.

100

Auf diese Art verstrich eine Woche. Neun Uhr, ich war da. Ich sah ihn auftauchen und musste einsehen: Das war er nicht. Ich verwechselte ihn mit einem Oberschüler, einer Career Woman*, die rauchte, einem tanzenden Schatten. Ich erfand Bauchschmerzen, den Besuch, unerwartet, eines alten Freundes, einen Ausflug in die Berge, spontaner Einfall. Als mir die Gründe ausgingen, begann die Regenzeit.

MILES TO GO.

In der Ecke stand mein liegengelassener Schirm. Er bewies mir nichts. Keine Stimme spulte mich auf. Tatsächlich begann ich daran zu zweifeln, ob wir einander begegnet waren. Ob ich ihn nicht, war das möglich, erfunden hatte wie die vielen Gründe für seine Abwesenheit. Allein die Krawatte war ein sicheres Pfand. Ich berührte sie und wusste, es gibt ihn. Ein Kribbeln auf der Kopfhaut. Die Haare wuchsen wieder. Im Café war die Zeit hingegen stehengeblieben. Dieselbe Musik. To want a love that can't be true. Manchmal habe ich Lust, mich flach auf den Boden zu legen und ihn über und über mit meinen Tränen zu benetzen. Nein, sowas erfindet man nicht, sowas ist echt. Ich sank ein und bestellte eine Cola. Kommt sofort. Mit geschlossenen Augen versuchte ich mich an sein Gesicht zu erinnern. Aber die Konturen hatten an Schärfe verloren. Wie bei Yukiko und Kumamoto war es mehr ein bestimmter Ausdruck, den ich behalten hatte. Traurige Anmut. Bei ihm war es traurige Müdigkeit gewesen. Als ich die Augen aufmachte, bemerkte ich, dass die Leute, mich eingeschlossen, in eben dieser Müdigkeit festsaßen, und wir alle schienen auf jemanden zu warten, der uns daraus befreien würde. Kalte Hölle, in der wir ausharrten. Hin und wieder fiel ein Satz: Man müsste etwas tun.

Es brauchte sechs Wochen mehr, unzählige Auslassungen, die ich ihm, der nicht kam, erzählte, bis ich eine Antwort darauf fand.

101

Seine Visitenkarte. Ich hatte sie auswendiggelernt. Die Adresse im Kopf fasste ich den Entschluss, ihn bei sich zu Hause aufzusuchen, und weiter dachte ich nicht, als bis dorthin, wo ich den Klingelknopf drücken, ding-dong, auf ein Geräusch hinter der Tür warten würde. Der erste wirkliche Entschluss, seit ich ihm zugenickt hatte. Ich fasste ihn gestern früh. Ich wachte auf. Vor mir der Riss in der Wand. Wenn man nur verrückt genug wäre, alles anders zu machen. Einmal auszubrechen. Kyōko. Ich fühlte, sie hatte auch mich gemeint. Eilig zog ich mich an. Mit jeder Bewegung gewann mein Entschluss an Festigkeit. Ich würde auf ein Geräusch warten und dann. Nicht nachdenken, wie das geht. Es geht. Ich schlüpfte nach draußen. Die Krawatte in der Jackentasche. Ich berührte sie an allen Ecken, an denen ich vorüberkam. Sie zog mich vorwärts. Hinein ins Gemenge. Eine Fahrkarte gekauft. Ich habe es nicht verlernt. Die Zugangssperre passiert. In die U-Bahn. Seine Welt, Tag für Tag, die Hand in der Halteschlaufe. Ich stand ein wenig schief, mit vornübergeneigten Schultern, ruderte gegen den Strom. Während alles in die Stadt, fuhr ich hinaus. Ich sah die Dinge, die er gesehen haben musste. Die Anzeigetafeln. Die Plakate. Die Mülleimer. Berstend voll. Mein Blick, überflutet, nicht mehr nur meiner, indem er streifte, gestreift wurde. So viele Menschen, so beisammen. Ich stieg in den Zug. Vaters Schuhe überall. Ich wiederholte die Adresse in mir. Sieben Wochen sind vergangen. Eine Trauerzeit*. Warum fällt mir das jetzt ein? Und ausgestiegen. Da ist der Bahnsteig, an dem er gestanden, der Bahnsteig, an dem er sich gefragt hatte, ob er nicht irgendjemandem fehlen würde, wenn er nicht da wäre. Niemand da. Ich verlangsamte meinen Schritt. Was sollte ich sagen, wenn die Tür aufginge? War mein Hoffen, ihn dahinter wiederzusehen, nicht wie das Hoffen der Eltern, ganz am Anfang, als sie dachten, ich würde herauskommen und ihnen sagen: Es ist alles in Ordnung? Ich stieg in den Bus. Er fuhr los. Neben mir, auf der Sitzbank, ein liegengelassenes Buch. Ein Beweis. Für wen? Der Fahrer rief nach mir: Hier musst du raus. Heiße Luft, mir entgegen, ich war angekommen. Ein kurzer Fußmarsch noch. Dann.

102

Mi-mi-mi. Das Weinen der Zikaden. Ich fing eine ein und ließ sie wieder frei. Ich ging durch eine Schlafstadt, verschlafene Siedlung. Weiße Hemden an den Wäscheleinen, ein Haus glich dem anderen. Vertrocknete Gärten im Taschentuchformat. Eingetopfte Palmen. Frauen und Babys. Die Kinder waren in der Schule, die Männer bei der Arbeit. Da drüben! Die knorrige Wurzel. Aufgesprungener Asphalt rundherum. Das Gartentor. Ich blickte hinauf. Ein Fenster war offen. Wehender Vorhang. Ich klingelte. Gleich würde die Tür aufgehen. Kyōkos Blumentöpfe. Der Handschuh. Ich klingelte noch einmal. Aus dem Haus nebenan kam leise Klaviermusik, unterbrochen von klapperndem Geschirr. Bald wurde es Mittag. Ich setzte mich auf den Randstein. Fühlte: So ist das also. Wenn die Tür zubleibt. So ist das also. Wenn man draußen steht und vergeblich auf ein menschliches Geräusch wartet. Die Sonne stach mich. Ich blinzelte.

Hallo? Eine helle Frauenstimme. Sie kam die Straße hoch. Immer noch blinzelnd, versuchte ich, ihre Gestalt auszumachen. Sie kam mir entgegen. Ich war aufgesprungen. Ōhara-san?

Ja, das bin ich. Und du bist? Taguchi Hiro? Ein Freund meines Mannes? Bitte verzeih. Er hat mir nie.

Ich zog die Krawatte heraus.

Oder vielleicht doch? Sie stieß das Gartentor auf, bat mich einzutreten. Die Krawatte hatte sie, eine gierige Handbewegung, an sich genommen. Zwei Stufen auf einmal. Als ich mir im Eingang die Schuhe auszog, sah ich die seinen, peinlich aufgestellt. Daneben die Aktentasche. Am Haken hing sein Sakko. Es roch nach Räucherstäbchen, zartbitter.

103

Ich folgte Kyōko durch den Flur und ins Wohnzimmer. Keine Rassel am Boden. Es war still. Während sie in der Küche das Teewasser aufsetzte, saß ich auf der Couch, im Rücken ein Kissen, und schaute mich um. Zu Hause. Vor mir der Fernseher. Links davon die Kommode. Darauf die Schneekugeln und Spieluhren. Die Ballerina drehte sich auf dem Beistelltisch um sich selbst. An den Wänden hingen die nackte Frau, ihr Körper ein Knäuel, und der Matrose, unter seinen Augen ein Mädchen, aufsteigender Rauch. Rosa Stoffblumen. Ein Schwan mit geschwungenem Hals. Kristallfiguren. Ein voller Aschenbecher. Ich hatte ein Loch in der Socke, ich rollte die Zehen ein. Weicher Teppich. Darauf Bücher. In Stapeln geschichtet. Die Regale waren voll. Man hätte ein neues gebraucht.

Etwas Yōkan* zum Tee? Kyōko goss uns zwei Schälchen ein. Wenn ich gewusst hätte, dass du kommst. Aber. Sie lächelte. Ich wusste es ja nicht. Taguchi Hiro, sagtest du? Ich glaube nicht, dass er mir von dir erzählt hat. Oder hat er, und ich habe es vergessen? Ich frage mich oft, seitdem er. Ihr Lächeln zerfiel. Ich frage mich oft, ob ich ihn überhaupt gekannt habe. So ein plötzlicher Tod. Danach fragt man sich allerhand. Und als ich mit ihrem Lächeln zerfiel: Ja, er ist tot. Ein Herzversagen. Auf dem Heimweg. Im Zug. An einem Freitag. Vor sieben Wochen. Gestern wurde seine Asche beigesetzt. Wenn ich gewusst hätte. Ich hätte dir Nachricht gegeben. Immerhin. Du musst ihn. Ich meine. Die Krawatte. Er trug sie an dem Tag, an dem er starb. Kann das sein. Du warst der letzte, der? Sie verbarg ihr Gesicht nicht vor mir. Nicht, als ich zu erzählen begann. Nicht, während ich ihr erzählte. Nicht, nachdem ich zu Ende erzählt hatte. Ich sah, wie sie weinte, dann lachte, sich erinnerte, dann zurückkam, wie sie blass, dann rot, schließlich einfach nur da war. Wie sie die ganze Zeit über die Krawatte nicht losgelassen, sie fest umschlossen hatte. Wie sie sie liebkoste. Mit ihren Fingern. Sie sich einverleibte. Ganz und gar mit ihr verschmelzen wollte. Verschmolz.

104

Was wiegt schwerer, fragte Kyōko nach einer Weile. Die Tatsache, dass er mir seine Situation verschwiegen hat, oder die Tatsache, dass ich ihm darin beigestanden habe, sie zu verschweigen? Du hast richtig gehört. Ich habe ihm, wohlwissend, dass er seine Arbeit verloren hat und dass er es mir aus Scham nicht sagen konnte, darin beigestanden, in dieser seiner Scham zu verbleiben. Ich wollte ihm Zeit geben. Mit ihm warten, bis. Er brauchte das so: Jemanden, der mit ihm wartet. Jemanden, der geduldig ist. Manchmal ging ich ihm einen Schritt weit entgegen. Ich sprach vom Ausbrechen. Vom Zurücklehnen. Vom Nichtstun. Oder auch: Von seiner Firma. Von seinem Vorgesetzten. Von seinen Kollegen. All dies, um ihm den Weg zu ebnen, ihn für ihn auszuleuchten, ihm zu verstehen zu geben: Du musst das nicht. Dich so abmühen. Er aber entfernte sich. Das Spiel, zuerst war es ein Spiel, entglitt mir. Grausam. Wenn es einem entgleitet. Eben noch steht es in deiner Macht, den einen Akt zu eröffnen, in dem die eine Wende passiert, und dann passiert gar nichts. Du bist Teil des Publikums geworden. Der andere ist auf der Bühne, ein Ein-Mann-Stück, die Scheinwerfer im Gesicht, ein einsames. Während du, in der hintersten Reihe, im Dunkeln, unfähig einzugreifen, dabei zusiehst, wie sich die Handlung verselbständigt. Der Vorhang fällt. Ich hätte von Vornherein nicht mitspielen dürfen. Auch wenn ich es ihm zuliebe tat, ich hätte wissen müssen, dass solches Spiel kein gutes Ende nimmt.

Am Anfang war ich natürlich ahnungslos. Er verließ pünktlich um halb acht das Haus, kam abends wieder, müde, schlief vor dem Fernseher ein. Nicht unüblich. Ich deckte ihn zu. Und im Zudecken war es, dass ich ihn im Traum meinen Namen flüstern hörte. Kyōko. Plötzlich wurde er wach. Ich sage: Plötzlich. Wie wenn ein Toter, schon aufgebahrt, mit einem Ruck sich erhebt, die Arme, voller Leben, um mich geschlungen, mich so hält, in seiner Umarmung, fast erdrückt, sein Atem dicht an meinem Ohr: Vergib mir. Bitte. Vergib mir. Ich japste nach Luft. Da ließ er mich los. Seine Arme, wieder schlaff, sank er zurück und war noch tiefer als zuvor, mit halb geöffnetem Mund, eingeschlafen. Ich Dummkopf ich, dachte ich und rief tags darauf in der Firma an. Als ich den Hörer auflegte, wurde mir die ganze Tragweite unserer Entscheidungen bewusst: Er wollte sein Versprechen vom Alltag einlösen, ich mein Versprechen, um unseres Alltags willen bei ihm zu bleiben. In diesem winzigen Augenblick, als ich den Hörer zurück auf die Gabel legte, wurde mir bewusst, welche Schönheit darin lag, welch ebenmäßige Schönheit, in unserem Versuch, den Entscheidungen, die wir getroffen hatten, die Treue halten zu wollen.

105

In gewisser Weise hat er bis zuletzt hart gearbeitet. Wenn du verstehst. Er mochte seine Arbeit nicht besonders. Was er an ihr mochte, war einzig die Routine und die Befriedigung, die er daraus gewann, ihr zu folgen. Das Reibungslose daran. Selbst wenn sonst nichts funktionierte. Dieses Reibungslose aufrechterhalten zu wollen, der Wirklichkeit zum Trotz, war die härteste Arbeit, die er je geleistet hat.

Es wird mir erst klar. Kyōko legte sich die Krawatte um den Hals. Aber ich tue es ihm gleich. Siehst du den Aschenbecher da? Die vielen Stummel? Ich bringe es nicht übers Herz, sie fortzuwerfen. Die aufgeschlagene Zeitung dort. Er las darin, in seiner Blase, blätterte vor und zurück. Ich schaffe es nicht, sie wegzuräumen. Die Packung Senbei* auf dem Beistelltisch. Längst nicht mehr knusprig. Die Flasche Bier, die er dazu trank. Abgestanden. Im Waschbecken, im Badezimmer, fand ich ein angegrautes Haar von ihm. Ich bewahre es auf. Seine Zahnbürste. Die Borsten verbogen. Das Handtuch. Der Rasierapparat. Alles an seinem Platz. Man übergab mir, was er bei sich getragen hatte. Die Armbanduhr. Die Schuhe. Die Aktentasche. Darin eine Notiz: Man lebt nur einmal, heißt es, warum stirbt man so oft. Bloß die Krawatte fehlte. Ich habe nach ihr gesucht. Man nennt das Trauer. Und ich glaube, Trauer ist auch der Grund, warum er sich derart bemüht hat, ein Mensch zu sein, der funktioniert. Indem er alles so beibehielt, wie es immer gewesen war, trauerte er um das, was er versäumt hatte: Unseren Sohn, seine Liebe zu ihm. Das, was man nicht tut, das, was man unterlässt, ist oft von schmerzlicherer Konsequenz als das, was man tut. Wenn ich ihn wachgerüttelt hätte. Wenn ich ihm gleich nach dem Anruf in der Firma gesagt hätte: Ich bin nicht bei dir um unseres Alltags, sondern um deinetwillen. Und weiter noch. Wenn du heute nicht den Entschluss gefasst hättest, hierher zu kommen, wenn du deinen Entschluss nicht in die Tat umgesetzt hättest, ich würde morgen noch nach seiner Krawatte suchen, morgen noch denken: Ich habe ihn nicht gekannt. Ich danke dir dafür. Kyōko nahm meine Hand und drückte sie. Ich danke dir dafür, dass du ihm begegnet bist.

106

Bevor du gehst. Sie zeigte auf die Tür gegenüber, auf der anderen Seite des Flurs. Dort drinnen im Kinderzimmer steht der Butsudan*. Es wäre schön, wenn du. Drei Atemzüge Pause. Noch einmal mit ihm zusammensitzen würdest.

Das Übertreten der Schwelle.

Ich schloss die Tür hinter mir ab.

Ein kleines Zimmer, nicht größer als meines, höchstens zehn Quadratmeter. Keine Möbel. Nur der Altar. Davor ein Sitzkissen. Ich setzte mich hin. Frische Blumen rechts und links. Seine Bentō-Box, in blaues Tuch eingeschlagen. Ein Foto. Tsuyoshi. Ein zweites. Er. Ich stellte drei Räucherstäbchen auf, schlug die Klangschale an, legte die Hände zusammen. Als meine Handflächen einander berührten, war es, als ob keine Wände um mich wären. Etwas gab in mir nach. Ich brach in Tränen aus. So lange hatte ich nicht geweint, dass mir mein Weinen wie das Weinen eines Kindes oder das eines sehr alten Menschen vorkam. Ich weinte ohne Rückhalt und Vorsicht. Weinte um ihn und all die anderen, die gegangen waren. Um Kyōko. Die Eltern. Mich selbst. Weinte am meisten um uns, die geblieben waren.

Hören Sie mich? Schluchzend. Sie hatten Recht. Mein Sterbegedicht ist schon lange fertig. Was es noch zu schreiben gilt aber, ist das Gedicht, welches, niemals fertig, ein endloses Anreiben der Tusche, ein endloses Eintauchen des Pinsels, ein endloses Gleiten über weißes Papier, das Gedicht meines Lebens ist. Ich will versuchen, es niederzuschreiben. Gleich, nein jetzt will ich es versuchen. Die erste Zeile: Ich nannte ihn Krawatte. Ich will schreiben: Er hat mich gelehrt, aus fühlenden Augen zu schauen.

107

Man sagt, ein Lehrer ist unsterblich. Auch wenn er seinen Körper verlässt, lebt das, was er gelehrt hat, im Herzen seiner Schüler weiter. Ich musste daran denken, als ich die Straße hinunter, wieder nach Hause fuhr. Mit kühlem Blick sah ich die Leute, wie sie, Kopf auf der Brust, hin und her geschaukelt wurden, und mit einem Mal durchdrang mein Blick eine noch tiefere Schicht, ging noch weiter als bis zu den Knochen und Organen, noch weiter hinein, mitten ins Unfassbare, welches mir nicht länger Angst bereitete, sondern mir ein Staunen abrang. Es war, als ob die Tränen, die ich geweint hatte, einen trüben Schleier von meinen Augen genommen hatten, und mein Ich kann nicht mehr! war dahinter zu einer Frage geworden: Was kann ich tun?

Taguchi!

Mein Name rief mich an.

Taguchi Hiro!

Im Gedränge der U-Bahn-Station hatte mich jemand an der Schulter gefasst. Ich drehte mich um.

Kumamoto!

Wie konnte das sein? Er stand leibhaftig vor mir. Die weiße Hand, da war sie. Er streckte sie mir entgegen. Ich schlug ein.

Long time no see. Komm, lass uns nach oben. Er humpelte. In das Café dort drüben? Ein Tisch war noch frei. So ein Glück, lachte er, verdammt, so ein Glück. Um diese Zeit noch einen Tisch zu bekommen. Um uns herum saßen kichernde Mädchen, damit beschäftigt zu entscheiden, ob der Lipgloss, den sie gekauft hatten, zu ihrem Teint passte. Ein paar Salarymen auch. Sie telefonierten. Ein kaugummikauender Student, der den Kaugummi mit seinen Fingern langzog, wieder zurückschnalzen ließ, ihn aufblies, bis er zerplatzte. So ein Glück, wiederholte Kumamoto. Oft genug habe ich mir vorgestellt, wie es wäre, dir über den Weg zu laufen. Ganze Sätze hatte ich mir zugerechtgelegt. Für den Fall, dass. Zu dumm, nicht wahr? Mir fällt kein einziger von ihnen ein. Alles weg. Hier oben. Er tippte sich gegen die Schläfen.

Was ist geschehen, fragte ich. Ich dachte, du seist…

…tot? Ja, nun, das war ich auch. Zuinnerst. Er hielt die Hand nicht vor den Mund, senkte seine Stimme nicht: Fünf Wochen künstlicher Tiefschlaf. Danach wachte ich auf. Es war ein langsames Aufwachen, ein Blinzeln, ein leichtes Anheben der Decke, ein Spreizen der Finger. Als die Erinnerung in meinen Kopf zurücktröpfelte, wollte ich am liebsten wieder einschlafen. Reglos, ohne Bewusstsein. Still daliegen, während draußen das Leben. Von meinem Fenster aus sah ich die Lichter der Stadt. In meinen Gedanken warst auch du. Wie du auf mich zu. Dein Vertrauen in mich und meine Heiterkeit. Ich fühlte, ich wollte nicht dafür haften müssen, dass ich dein Vertrauen missbraucht hatte. Ich fühlte es wie den heißen Schmerz unterhalb der linken Hüfte.

108

Kumamoto hatte sich verändert. In seinen Bewegungen war nichts Fiebriges mehr. Eher hatten sie etwas Behäbiges. Sein Körper schien aufgeschwemmt, ich dachte an eine Leiche, die unter Wasser gewesen, von einer starken Strömung an Land geschwappt worden war. Das sind die Medikamente, sagte er. Sein lahmes Bein hatte er ausgestreckt.

Es ist gut, sagte ich. Gut dich wiederzusehen.

Er nickte: Wirklich gut.

Bist du gesund geworden?

Ich weiß es nicht. Nach jenem Unfall, man hat mich angehalten, davon als Unfall zu sprechen, folgte ein anderer, kurz nachdem ich entlassen worden war. Gas. Fast wäre unser Haus in die Luft gegangen. Ich kam in eine Klinik. Man gab mir diese Tabletten. Wieder schlief ich, wurde sanft in den Schlaf gezwungen. Ich erinnere mich nur lückenhaft. Da war ein Lichtstrahl, der mich in der Nase kitzelte. Eine Wasserkaraffe. Ein Kirschzweig, die Knospen sprangen auf. Eine Krankenschwester. Die Haare zu einem Knoten hochgesteckt. Ein Bild. Sie würde die Spange abnehmen, die Haare würden in weichen Locken über ihren Rücken hinfallen. Ein Patient, der immerzu lallte. Wir nannten ihn den Betrunkenen. Dabei trank er wie wir alle nur Wasser und Tee. Einmal sprach ich mit ihm. Er erklärte mir, lallend, dass er solche Sehnsucht danach habe, im Zustand des Rausches, ohne Gedächtnis, ohne Vergangenheit, in einem Eck auf der Straße zu liegen und die Schritte der Menschen an sich vorübergehen zu hören. Es würde ihn trösten, sagte er, dieses Geräusch von vorübergehenden Schuhen.

Oder Hiroko, die Dicke. Sie glaubte, sie würde sich jeden Moment in Nichts auflösen. Siehst du mich, fragte sie. Siehst du, wie ich vergehe? Dabei war ihr Körper so drall, man konnte sich nicht vorstellen, dass er jemals vergehen würde. Wo sind meine Zehen, fragte sie, meine Füße, meine Knie. Voller Entsetzen betastete sie ihre Beine und schrie: Ich taste ins Leere. Am Ende musste sie über eine Sonde ernährt werden, weil sie davon überzeugt war, keinen Mund mehr zu haben.

109

Warum erzähle ich das? Ich denke, Krankheit ist das Festhalten an einer Illusion. Die Einsamkeit, während man daran festhält. Wenn ich sage, ich weiß nicht, ob ich gesund geworden bin, dann will ich sagen, ich weiß nicht, ob das überhaupt möglich ist. Gänzlich frei zu sein. Aber: Ja. Seit einem halben Jahr geht es mir wieder so gut, dass ich nach und nach wieder Gefallen finden konnte an der Vorstellung, dir über den Weg zu laufen und dir zu sagen, dass es mich aufrichtig glücklich macht, dich wiederzusehen. In mir ist Neugierde: Was kommt als nächstes? Wunderbar. Solche Neugierde: Wie geht es weiter? Morgens stehe ich auf und empfinde, während ich mir das Gesicht wasche, eine schlichte Freude daran, derart neugierig zu sein. Das Wasser ist lebendig. Es spült den Sand aus meinen Augen, weckt mich auf. Es ist, als ob ich erst üben müsste, so lebendig zu sein wie das Wasser.

Für die Eltern freilich ist es schlimm. Ich begreife das jetzt. Dass es schlimm für sie ist, die Illusion, die sie von mir hatten, zerschmettert zu sehen. Nicht länger daran festhalten zu können. Vor allem für Vater ist es ein schlimmer Verlust. Er redet ungern über das, was vorgefallen ist, und wenn, dann sagt er, es wäre ihm doch lieber gewesen, ich hätte, statt krank zu werden, weiter Gedichte geschrieben.

Er wirft es so hin. Mit schwimmenden Augen. Schaut weg, wenn er hinzufügt: Weitaus lieber, du hättest ein langes, langes Gedicht geschrieben. Ich höre die Entschuldigung darin. Weil ich sie hören will, höre ich sie. Es ist eine Willensanstrengung. Ich bin sie ihm schuldig. Sie macht es leichter für ihn. Er muss sein Gesicht nicht verlieren. Sie macht es leichter für mich. Ich darf das meine neu erfinden. Auf diese Art ist ein jeder von uns in seinem Raum, und irgendwann, wer weiß, kommen wir zusammen und sitzen in einem, der uns beide umfasst, und wir verstehen dann: Wir waren niemals woanders.

110

Ob ich noch schreibe? Undenkbar, es nicht zu tun. Gerade in der finstersten Nacht waren die Wörter leuchtende Kieselsteine. Das Licht des Mondes und der Sterne, sie hatten es eingefangen und strahlten es wieder aus. Ein Wort war darunter, das besonders hell leuchtete. Das Wort von der Einfachheit. Ich würde mich ihm nähern, leichten Schrittes, es von allen Seiten her betrachten, es schließlich in die Hand nehmen, von ihm verzaubert, erkennen, dass sein Zauber darin liegt, von sich aus, aus seiner schieren Bedeutung heraus, zu leuchten. Einfachheit. Einfach da sein. Es einfach aushalten. Je mehr ich es aushielt, desto einfacher wurde es einzusehen, wie schön, einfach schön, es ist, da zu sein.

Ich möchte so schreiben, wie dieses Wort leuchtet. Über die einfachsten Dinge möchte ich schreiben. Darüber, zum Beispiel, wie wir jetzt hier an diesem Tisch, uns gegenüber, nach zweieinhalb Jahren, einander von Dingen erzählen, über die man normalerweise schweigt. Der Matcha Latte*, den wir trinken, ist lauwarm, er schmeckt süß. Bald bricht die Dämmerung herein. Der Tag rutscht mit der Sonne in die Nacht. Wir bemerken, es ist viel Zeit vergangen. Mein ausgestrecktes Bein erinnert uns daran. Du machst mir keinen Vorwurf. Wir sind Freunde, weißt du noch: Zwillinge, die sich über zwei halbvolle Gläser hinweg aneinander wenden. Ich habe dich vermisst. Du hast mich vermisst. So einfach. Die Klimaanlage surrt. Man unterhält sich, lacht. Die Kellnerin läuft hin und her und wenn sie einmal stehenbleibt, dann wischt sie sich mit der Schürze über das müde Gesicht.

III

Und Kumamoto hatte sich nicht verändert.

Trotz seiner Behäbigkeit, trotz seines aufgeschwemmten Körpers saß er vor mir, ein Poet durch und durch, und hatte sich seine Ehrlichkeit bewahrt. Von ihm ging die zähe Kraft eines Menschen aus, der in seinen eigenen Abgrund gestiegen, schrecklich einsam, ihn ausgemessen hat. Und wieder oben war er derselbe, nur froh, wieder oben zu sein.

Was denkst du? Ich legte die Hände flach auf den Tisch, sodass er die Narben sähe. Denkst du, braucht man uns? Ich meine Leute wie uns, die vom Weg abgewichen, sich entzogen haben. Die keinen Abschluss, keine Ausbildung, keine Arbeit, nichts vorzuweisen, nichts gelernt haben außer dieses: Dass es sich lohnt, am Leben zu sein. Er macht mir Angst, der Gedanke, wir könnten jetzt, da wir es gelernt haben, immer noch lernen, nicht gebraucht werden. Immerhin sind wir gezeichnet. Wir haben einen Makel. Was, wenn man uns das nicht verzeiht? Was, wenn die Gesellschaft … uns nicht zurückhaben möchte? Ich vermeide es, im Großen zu denken. Wenn ich denke: Die Gesellschaft. Dann geht mir der Kopf über. Zu groß. Was ist das? Ich sehe es nicht. Was ich sehe, sind Einzelne. Dabei möchte ich bleiben. Im Kleinen. Und da ist jeder gezeichnet, hat jeder einen Makel, braucht jeder jeden. Kumamoto legte seine Hände zu den meinen. Als ich dich vorhin wiederfand, Fingerspitzen an Fingerspitzen, war es ein Augenblick. Zuerst erkannte ich dich nicht. Du bist dünn geworden. Erst als du die Halteschlaufe losgelassen, im ruckelnden Waggon, leicht hin und her geworfen wurdest, erkannte ich dich an der Art und Weise, wie du dich, deine Füße im Boden, gegen die Stöße gestemmt hast. Die Türen sprangen auf. Sofort erhob ich mich. Dir nach. Ich wollte dich nicht noch einmal aus meinem Blick verlieren. Du warst schnell, schon bei der Rolltreppe. Ich kam kaum mit. Dir hinterherhumpelnd, wurde mir klar, wie sehr ich dich brauche. Ich bin angewiesen darauf, dir zu sagen: Es tut mir leid. Angewiesen darauf, von dir zu hören: Es ist gut. Du bliebst kurz stehen. Ich zögerte. Überrollt von dem Gefühl, kein Anrecht darauf zu haben, dich so sehr zu brauchen. Aber da standst du. Ich streckte die Hand nach dir aus, und vielleicht, das ist meine Antwort auf deine Frage, ist es gerade dieses Ausstrecken, dieses Sich-Hinstrecken zum anderen, welches am dringendsten gebraucht wird.

Hast du Pläne, fragte ich weiter.

Du?

Ganz herauszukommen.

Ich auch.

112

Was ich dich noch fragen möchte: Was hast du damals, kurz bevor du dich, was hast du da eigentlich gerufen? Du weißt schon. Ich kam auf dich zu. Und du hast etwas gerufen. All die Zeit über war ich mir sicher, es war eine Botschaft für mich. Etwas, was ich hören sollte. Etwas, was für mich gedacht war. Was war es?

Ich war verwirrt.

Ist es dir entfallen?

Ich glaube, es war nichts.

Nein?

Wozu es wiederholen?

Vielleicht um...

...ich sage dir: Es war nichts.

Tatsächlich ging es mich nichts an. Ein Ruf aus der Vergangenheit, er war verhallt. Ob Freiheit, Leben oder Glück, es war nicht länger wichtig. Wir verabschiedeten uns mit einem einfachen Auf Wiedersehen. Man wird sich über den Weg laufen, sagte Kumamoto. Man wird, sagte ich, und pass auf dich auf. Du auch. Für mich. Und damit war er hinter einem breiteren Rücken verschwunden. Er würde nach Hause gehen. Nach Hause. Plötzlich verspürte ich einen großen Hunger. Ein Loch im Bauch, rannte ich los. Der Hunger trieb mich an.

113

Vaters Schuhe im Eingang. Poliertes Leder, man konnte sich beinahe darin spiegeln. Die Eltern saßen beim Abendessen. Der Fernseher lief. Baseball. Die Giants führten mit drei Punkten. Ich, im Flur, sah, überrascht darüber, nicht überrascht zu sein, dass das Bild, das ich unlängst in den Müll geschoben hatte, wieder an seiner Stelle hing. Darunter eine mit Reißnägeln befestigte Notiz: Ich habe das Negativ. Sooft du das Bild auch entfernen magst, ich kann es genauso oft nachmachen lassen. Mutter. Ein Smiley. Die Familie reproduziert sich. Wieder stand ich, Vaters Hand auf meiner Schulter, die Kappe schief, vor der Golden Gate Bridge und wartete darauf, dass das Sandkorn durch die Taille rutschen, ich die Hand abschütteln, und --- wartete noch ein bisschen länger, bis meine Bitterkeit darüber erloschen war. Oder wie es Kumamoto gesagt hätte: Weil ich keine Bitterkeit empfinden wollte, empfand ich keine. Es war eine Willensanstrengung. Ich war sie mir schuldig. Sie machte es leichter für mich. Ohne Bitterkeit nahm ich das Tablett von der Schwelle, die Reisschüssel noch dampfend, machte ich einen wohlüberlegten Schritt, dann einen zweiten, öffnete ich mit einer Hand, die nicht zitterte, die Tür ins Wohnzimmer. Geweitete Augen, sie sahen mich an. Ein stummes Kopfnicken. Vater brach als erster das Schweigen. Nun räum schon den Stuhl ab, sagte er, an Mutter gewandt. Auf meinem Stuhl, dem Stuhl, auf dem ich zwei Jahre lang nicht gesessen hatte, lag ein Stapel alter Zeitschriften, Prinzessin Kiko-samas* winkende Hand, ein rotes Wollknäuel, Strickzeug. Mutter beeilte sich, ihn freizumachen. Dabei fiel das Wollknäuel vor sie hin, auf den Boden, und rollte vor meine Füße. Ich stupste es weiter bis vor Vaters. Ein Homerun. Ich setzte mich. Itadakimasu*.

Noch mehr Reis?

Mutter füllte die Schale auf. Hier hast du noch etwas Tofu. Otousan*, bitte reich ihm doch mal den Lauch. Binnen Sekunden wurde der Tisch neu angerichtet. Beilagen und Soßen so umgestellt, dass sie in meiner Reichweite standen. Ich aß. Das letzte Stück Gyōza*. Vaters Stäbchen trafen die meinen. Nimm du es. Nein, du. Er rieb sich den Bauch: Ich bin satt. Wir schauten uns an. Wir hielten es aus. Ein Bier, sagte er schließlich: Keiko, hol uns ein Bier. Darauf stoßen wir an. Du fragst, worauf? Na, auf die Giants natürlich. Aus dem Fernseher kam aufgeregter Jubel. Die Stimme des Moderators überschlug sich. Das Spiel ging weiter. Mutter brachte drei Gläser und getrockneten Tintenfisch. Kampai*. Wir prosteten einander zu. Am Ende eines langen Tages, lachte Mutter, schmeckt Bier am besten.

114

Wie wir beieinandersaßen und uns mit Hilfe des Uneigentlichen über das Eigentliche verständigten. Mir wurde bewusst, dass auch Vater und Mutter Hikikomoris gewesen waren. Mit mir im Haus waren auch sie eingesperrt gewesen, da mein Leben an ihrem hing. Vaters spärliche Urlaube hatten sie zu Hause verbracht. Keine Ausflüge ans Meer. Keine Wochenenden in O., Mutters Heimat. Hin und wieder ins Kino, das ja. Im Finstern sitzen. Hin und wieder ins Restaurant. Mit Freunden, die man seit Ewigkeiten nicht gesehen hatte. Hin und wieder für wenige Stunden ins Auto. Einfach losfahren und sich vorstellen, wie es wäre, weiterzufahren. Bis ans Ende der Welt. Dann stehenbleiben und sich sagen: Da ist einer, der uns braucht. Umdrehen. Und zurück. Alle paar Tage zu Fujimotos und einkaufen. Frühstück, Mittag- und Abendessen. Mutter hatte keine der Mahlzeiten jemals ausgelassen. Manchmal war ein T-Shirt dabei gewesen. Ein Paar Socken. Im Winter ein Pullover. Viele Briefe, die ich nicht gelesen, ungelesen vor der Tür zurückgelassen hatte. Ich fragte mich nun, wovon mochten sie gehandelt haben. Vielleicht davon, dass es sie glücklich gemacht hatte, zu sehen, dass im Kühlschrank eine Cola gefehlt hatte oder dass die Fliesen im Badezimmer nass gewesen waren. Vielleicht aber auch davon, dass es sie sehr traurig gemacht hatte. Vielleicht davon, dass sie sich für mich schämten. Vielleicht aber auch davon, dass es ihnen schwerfiel, zu verstehen, was mich dazu gebracht hatte, mich vor ihnen zu verschließen. Nach alldem beieinander zu sitzen und uns mit Hilfe des Uneigentlichen über das Eigentliche zu verständigen, war wie ein erstes Aufatmen, nachdem wir alle drei unter Wasser gewesen waren. Das Durchbrechen der Oberfläche. Wir prusteten noch.

Also dann. Ich war aufgestanden. Gute Nacht.

Vater: Das war das beste Spiel, das ich seit langem gesehen habe. Er sprach, ohne aufzuschauen, den Blick auf den Bildschirm gerichtet. Mit der einen Hand umklammerte er sein leergetrunkenes Glas, mit der anderen hielt er sich an der Tischkante fest. Die weißen Knöchel verrieten ihn. Verräterische Unbewegtheit. Ein Wort mehr und das Glas in seiner Hand wäre zersprungen.

ANFANG

Dank

Ich bedanke mich bei allen Menschen, die mir während des Schreibens beigestanden haben. Unschätzbar ihre Freundschaft, die, ein lebendiger Beitrag, mit in die Geschichte geflossen ist.

Ein besonderer Dank an meinen Mann Thomas (ich danke dir für deine Zusprache, deine Geduld, deine Fürsorge), Ojiichan und Obaachan (ich danke euch für viele Sommer voller Glück), Michio, Niken, Ayana und Ryuta (ich danke euch für den roten Faden, der uns über Meilen hinweg miteinander verbindet), Satoshi (ich danke dir für die schönen Erinnerungen an dich), Tobias (ich danke dir für deine Unterstützung), Angela (ich danke dir für dein Epile Spitmek), Barbara und Verena (ich danke euch für Weinviertler Treue), Kathrin (ich danke dir für gemeinsames Singen und Lesen), Lelo (ich danke dir für Cupcakes und Sternenstaub).

Gerade dem und der, die ich nicht erwähnt habe, gebührt der größte Dank.

Worterklärungen

110: Polizeinotruf
Bentō: eine Mahlzeit zum Mitnehmen
Butsudan: buddhistischer Hausaltar zur Verehrung der Ahnen und kürzlich Verstorbenen
Career Woman: So bezeichnet man in Japan weibliche Firmenangestellte.
-chan: Suffix, welches bei kleinen Kindern an Vornamen angehängt wird, entspricht dem deutschen -chen oder -lein
Enka: japanischer Schlager
Giants: eine japanische Baseballmannschaft
Gyōza: mit Fleisch gefüllte Teigtäschchen
Hajimemashite: Es freut mich, dich/Sie kennenzulernen.
Herzsutra: Teil der buddhistischen Schriften, zentrale Lehre darin: Form ist Leere, Leere ist Form.
Hikikomori: So werden in Japan Personen bezeichnet, die sich weigern, das Haus ihrer Eltern zu verlassen, sich in ihrem Zimmer einschließen und den Kontakt zur Familie auf ein Minimum reduzieren. Die Dauer variiert. Manche verbringen bis zu fünfzehn Jahre oder sogar länger als Eingeschlossene. Wie viele Hikikomoris es gibt, liegt allerdings im Dunkeln, da viele von ihnen aus Angst vor Stigmatisierung verschwiegen werden. Schätzungen zufolge dürften an die 100.000 bis 320.000 vor allem junge Menschen betroffen sein. Als hauptsächlicher Grund gilt der große Leistungs- und Anpassungsdruck in Schule und Gesellschaft.
Itadakimasu: Sagt man in Japan vor dem Einnehmen einer Mahlzeit. In etwa: Ich nehme es demütig an.
Jisei no ku: Sterbe-/Todesgedicht
Kampai: Prost
Kanjou: Gefühl
Karaage: frittiertes Hühnerfleisch
Karaoke: beliebte Freizeitbeschäftigung in Japan, bei der man zu Instrumentalversionen bekannte Hits und Schlager singt
Karōshi: Tod durch Überarbeiten
Kei-chan: Kei-lein
Manga: Comic
Matcha: feinpulvriger Grüntee
Miyajima: eine der Nihon Sankeis, der drei schönsten Landschaften Japans

Ojisan: Onkel

Okaerinasai: Sagt man bei der Rückkehr eines Familienmitglieds. In etwa: Willkommen daheim.

Otousan: Japanisch für Vater, oft auch Anrede für den Ehemann

Prinzessin Kiko: Ehefrau von Prinz Akishino von Japan, das Suffix -sama ist für angesehene Persönlichkeiten gebräuchlich

Sake: Reiswein

Salaryman: So bezeichnet man in Japan männliche Firmenangestellte.

-san: Suffix, welches an Familiennamen angehängt wird, um Respekt auszudrücken

Senbei: Reiskekse

Sensei: Lehrer

Shiba: japanische Hunderasse

Shintō: neben dem Buddhismus eine der größten Religionsgemeinschaften in Japan

Tadaima: Sagt man, wenn man nach Hause kommt. In etwa: Bin wieder daheim.

Tempura: Frittiertes, meist Gemüse oder Garnelen

Trauerzeit: Die traditionelle Trauerzeit beträgt in Japan sieben Wochen, nach deren Ablauf die Urne im Grab beigesetzt wird. Die Einäscherung selbst findet gemeinsam mit der Totenfeier kurz nach dem Tod statt.

Yen: japanische Währung

Yōkan: Süßspeise aus Azukibohnen

Junge Literatur bei Wagenbach

Ascanio Celestini Schwarzes Schaf *Roman*

Nicola, der hier sein Leben erzählt, hat fünfunddreißig Jahre im Irrenhaus verbracht, da erlebt man einiges. Früher brachte seine Oma ihn in die Schule und der Lehrerin ein frisches Ei aus dem Hühnerstall. Nicola saß in der letzten Bank und war in der Klasse das schwarze Schaf. Später bringt die Oma ihn zu den Verrückten, aber einmal auch ans Meer …
Man liest, was Nicola berichtet, über sich selbst und das Leben der anderen Insassen – zunächst mit dem Wohlwollen dessen, der vermutet, er sei kein schwarzes Schaf. Dann verschwindet diese Sicherheit. Wer ist nun verrückt, die Bewohner des Irrenhauses oder die anderen, die draußen leben?

Aus dem Italienischen von Esther Hansen
Quart*buch*. 128 Seiten. Gebunden mit Schutzumschlag

Berta Marsé Der Tag, an dem Gabriel Nin den Hund seiner Tochter im Swimmingpool ertränken wollte *Kurzprosa*

Wieso reagiert alle Welt so befremdet auf die Schildkröte, die Alba in der Schule gezeichnet hat? Was hat ein blauer Angora-Poncho mit Anas Schwangerschaft zu tun? Weshalb ruft Herr Miravet mitten in der Nacht seine Putzfrau an? Und warum nur droht der Vater der kleinen Patricia damit, ihr den Welpen gleich wieder wegzunehmen, den er ihr zum Geburtstag versprochen hat? Hinter solch harmlosen Fragen öffnen sich Abgründe – und Berta Marsé stößt ihre Leser erbarmungslos in sie hinab.

Aus dem Spanischen von Angelica Ammar.
Quart*buch*. 176 Seiten. Gebunden mit Schutzumschlag

Tanguy Viel Paris - Brest

Die Großmutter erbt viel Geld und eine Putzfrau. Der Vater veruntreut die Kasse des lokalen Fußballvereins. Die tyrannische Mutter bemüht sich um Kontrolle der Situation. Der Bruder hat wenig Talent und ein Geheimnis. Und der Erzähler seinerseits will alles ans Licht bringen.
Nachdem seine Familie der Bretagne gezwungenermaßen den Rücken gekehrt und sich im Süden niedergelassen hat, bleibt Louis, der Erzähler, bei seiner Großmutter in Brest und verbringt die Abende mit dem zwielichtigen Sohn ihrer Putzfrau, bei Rotwein und Zigaretten. Ein böser Plan entsteht. Und einmal mehr hört Louis auf seinen vermeintlichen Freund.

Aus dem Französischen von Hinrich Schmidt-Henkel
Quart*buch*. 144 Seiten. Gebunden mit Schutzumschlag

Najat El Hachmi Der letzte Patriarch

Es ist die Geschichte einer beispiellosen Emanzipation. Der Blick der Heldin, der aufsässigen Tochter, ist unerbittlich; sie rekonstruiert das Leben des Vaters, um sich über sich selbst klar zu werden: Was hat Mimoun Driouch damals in der marokkanischen Provinz eigentlich so alles getrieben? Bloß Ziegen gehütet, die Cousine Fatma bezirzt und das tugendhafteste Mädchen des Dorfes geheiratet? Doch wieso hat sich Mimoun dann auf den Weg nach Spanien gemacht?

Aus dem Katalanischen von Isabel Müller
Quart*buch*. 352 Seiten. Gebunden mit Schutzumschlag

Emmanuelle Pagano Bübische Hände

Vier Frauen sprechen in diesem Roman mit sich selbst. Sonst wird geschwiegen. Dabei weiß eigentlich die ganze Stadt Bescheid.
Die junge Putzfrau tut ihre Arbeit klaglos und gut gelaunt. Gleichwohl scheint sie ein Geheimnis mit sich herumzutragen. Von der Gattin des reichen Winzers, die an seltsamen Ohrenschmerzen leidet, wird die Putzfrau beargwöhnt, gar beneidet. Bei einer anderen Frau löst sie die Erinnerung an eine lange zurückliegende, kindliche Tat aus, an der auch ihr Sohn beteiligt war. Eine dritte Frau spricht: eine pensionierte, gehörlose Lehrerin, die im Altersheim lebt und mitunter von eben der Frau gepflegt wird, deren Stimme sie dreißig Jahre zuvor nicht hören wollte. Und zuletzt meldet sich ein zehnjähriges Mädchen zu Wort, das schwer an einem Erlebnis trägt, von dem niemand wissen will.

Aus dem Französischen von Nathalie Mälzer-Semlinger
Quart*buch*. 144 Seiten. Gebunden mit Schutzumschlag

Martin Page Antoine oder die Idiotie *Roman*

Eigentlich könnte Antoine zufrieden sein, doch er ist einfach zu klug. Das soll sich ändern: Antoine will nicht mehr denken, und daher versucht er zunächst, Alkoholiker zu werden, dann, sich umzubringen, und schließlich, so zu werden wie alle …
In 25 Sprachen wurde der satirische Erstling von Martin Page seit seinem Erscheinen übersetzt. Ein »Kultroman«, dessen Leichtfüßigkeit und geistreicher Witz sehr angenehm aus der französischen Literaturlandschaft hervorstechen.

Aus dem Französischen von Moshe Kahn
WAT 489. 144 Seiten

3. Auflage 2012

Verlag Klaus Wagenbach, Emser Straße 40/41, 10719 Berlin
Umschlaggestaltung Julie August unter Verwendung des Bildes von
Jörn Grothkopp. Gesetzt aus der Janson BQ. Einband und
Vorsatzmaterial von peyer graphic, Leonberg. Gedruckt auf Munken
Premium cream und gebunden bei Pustet, Regensburg.
Printed in Germany.

ISBN 978 3 8031 3241 3